ESCUELA DE VERDURAS

EDICIÓN ORIGINAL

COORDINACIÓN EDITORIAL
Giulia Malerba

COORDINACIÓN DE REDACCIÓN
Francesca Badi

DISEÑO GRÁFICO
Cristiana Mistrali

DISEÑO DE LA MAQUETA
Food Editore

FOTOGRAFÍAS
Davide Di Prato

RECETAS
Licia Cagnoni, Piero Rainone

HAN COLABORADO
Cristina Bottari, Lucia Carletti, Chiara Gianferrari,
Giusy Giuffrida, Daniela Martini, Armando Minuz,
Monica Nastrucci, Monia Petrolini, Elisa Rozzi

EDICIÓN ESPAÑOLA

DIRECCIÓN EDITORIAL
Jordi Induráin Pons

EDICIÓN
Àngels Casanovas Freixas

TRADUCCIÓN
Jordi Trilla i Segura

MARIDAJES DE LOS PLATOS Y LOS VINOS
Lluís Manel Barba Estadella

CORRECCIÓN
Àngels Olivera Cabezón

MAQUETACIÓN Y DISEÑO DE CUBIERTA
Marc Monner Argimon

Título original: A scuola di verdure (ISBN 978-88-6154-297-6)
© FOOD EDITORE, 2011, una marca de Food S.R.L.

© 2014 LAROUSSE EDITORIAL, S.L.
Mallorca 45, 2.ª planta - 08029 Barcelona
Tel.: 93 241 35 05 - Fax: 93 241 35 07
larousse@larousse.es - www.larousse.es

ISBN: 978-84-15785-13-2
Depósito legal: B.28788-2013
1E1I

ESCUELA DE VERDURAS

Utensilios, técnicas, recetas y preparaciones de base,
ilustradas paso a paso

LAROUSSE

- sumario -

¿Cómo se limpia una alcachofa? ¿Qué cocción realza el sabor delicado de los espárragos? ¿Qué relleno vegetariano se puede probar con lasañas y canelones? Con *Escuela de verduras* encontrará todas las respuestas a sus dudas y aprenderá rápidamente las técnicas básicas para elaborar en casa entremeses, primeros y segundos platos, y guarniciones como los de los mejores cocineros. Gracias al asesoramiento de Licia Cagnoni, chef y profesora de distintos cursos de cocina, descubrirá los trucos y las pequeñas técnicas que hay que observar para elaborar en casa pasteles de verduras, condimentos para primeros platos, gratinados y verduras rellenas. El volumen se divide en distintos apartados según las verduras de temporada: al inicio del libro, un calendario le ayudará a elegir y seleccionar los productos para cocinar, pese a que muchas de las hortalizas protagonistas del libro se pueden comprar durante todo el año (patatas, zanahorias y cebollas, principalmente). En el apartado dedicado a las **verduras de invierno** descubrirá las técnicas básicas para limpiar, cocinar y elaborar platos sabrosos y originales con las hortalizas de la gran familia de las coles, entre otras: desde las albóndigas con coliflor hasta los canelones con brócoli, pasando por las endibias estofadas y los cardos gratinados; y aprenderá trucos y pequeños consejos para obtener unos platos únicos. El segundo apartado, dedicado a las **verduras de primavera,** es un triunfo de la ligereza: espárragos y zanahorias elaborados de mil maneras para obtener unos platos delicados y apetitosos para llevar a la mesa todo el frescor de la primavera. Berenjenas, pimientos, calabacines y tomates son las hortalizas protagonistas del apartado dedicado a las **verduras de verano,** ricas en colores y gustos. Calabazas, setas, patatas y remolachas dan color a las mesas en **otoño** con sus intensos sabores: gracias a los numerosos pasos y a las detalladas indicaciones, preparar ñoquis, cremas y purés de patatas será fácil e incluso divertido. Completa el volumen un apartado dedicado a las técnicas para elaborar bases, primeros platos y guarniciones, con **combinados de verduras,** siempre nuevos: descubrirá los pasos para hacer fácilmente en casa unas pastillas de caldo vegetal sanas y sabrosas, unas lasañas vegetarianas dignas del mejor chef o un clásico de toda la vida, la ensaladilla rusa. Diviértase probando, según la temporada y la disponibilidad, elaboraciones y platos novedosos; y después de las clases de cocina, ¡deje volar la imaginación!

	espárragos	alcachofas	zanahorias	coles y brócolis	cebollas	hinojo	setas	léchuga y rúcula
enero			●	●	●			
febrero			●	●	●	●		
marzo		●	●			●		
abril	●	●	●					●
mayo	●	●	●		●			●
junio			●		●			●
julio			●		●		●	
agosto			●		●		●	●
septiembre			●				●	●
octubre		●	●	●	●	●		
noviembre		●	●	●	●	●		
diciembre		●	●	●	●			

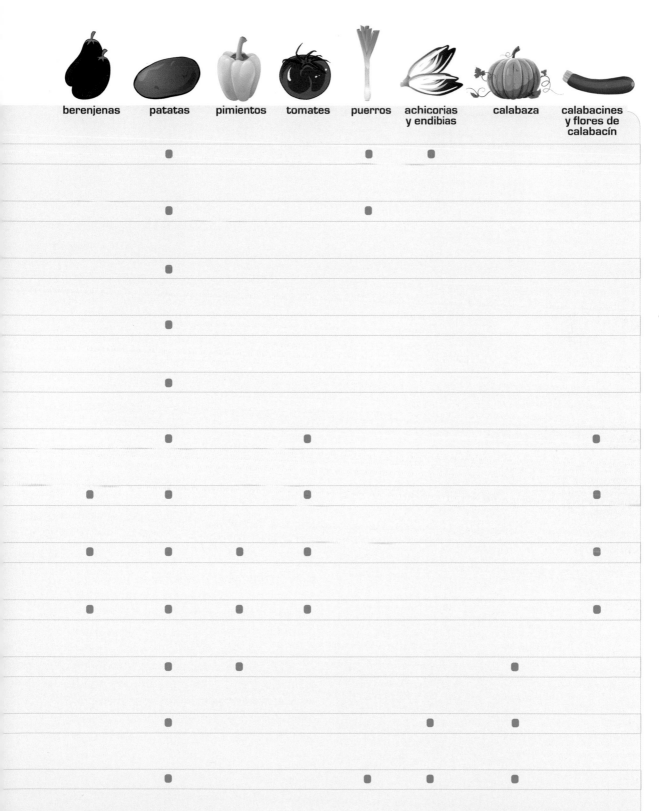

berenjenas	patatas	pimientos	tomates	puerros	achicorias y endibias	calabaza	calabacines y flores de calabacín
	■			■	■		
	■			■			
	■						
	■						
	■						
	■		■				■
■	■		■				■
■	■	■	■				■
■	■	■	■				■
	■	■				■	
	■				■	■	
	■			■	■		■

- espárrago -

Pertenece a la familia de las liliáceas. La parte que se utiliza en cocina son los brotes o yemas, que aparecen en la base de los rizomas leñosos, los tallos. Se recogen, aún tiernos, en cuanto «asoman» a la superficie. Cuanto más tiempo permanecen bajo tierra, más duros se pueden volver.

Existen distintas variedades de espárragos; entre las que podemos citar los Mary Washington y los espárragos de Altedo, que se caracterizan por sus yemas verdes; los Argenteuil y Napoletani, con yemas violeta, o los espárragos de Bassano, de Albenga y de Cesena, de color blanco. Además de los espárragos cultivados, están los espárragos silvestres, que crecen en bosques y campos, y que se recolectan entre marzo y abril. Las diferencias cromáticas entre las distintas variedades dependen de los tiempos de cultivo y de cosecha: los tallos son de color blanco mientras permanecen enterrados; en cuanto brotan a la superficie, en contacto con el sol, adquieren un color violeta y, más tarde, verde.

Consejos para la compra y conservación

Cuando compre espárragos, preste atención al tallo, que no se debe doblar, sino romper; a los brotes, que deben ser derechos, duros, estrechos y no tener magulladuras, y al color, que debe ser vivo. Si las puntas están abiertas, el espárrago no es fresco. Los espárragos se conservan en el frigorífico, en el cajón de la verdura, envueltos en un paño húmedo, durante 4 días. Al ser una verdura exclusivamente de primavera, se pueden limpiar, escaldar en agua con sal y congelarlos, para saborearlos durante todo el año.

Preparación y consumo

La parte comestible de los espárragos es más bien escasa, porque se desecha gran parte del tallo, que es leñoso y fibroso. El mejor modo de saborear los espárragos es hirviéndolos y condimentándolos, aún calientes, con mantequilla derretida y queso rallado, o bien fríos con un aliño a base de limón, aceite de oliva, sal y pimienta. Las puntas de los espárragos más jóvenes se pueden consumir crudas, aliñadas también con un chorrito de aceite, limón, sal y pimienta. Los tallos, más duros, se pueden cortar en trozos y triturarlos para cremas y condimentos.

Los espárragos silvestres, de sabor menos delicado, son el ingrediente ideal para arroces, preparaciones a base de huevos, pasteles y tartaletas. Recuerde, además, que los de mayor tamaño son perfectos para hervirlos, mientras que los pequeños son excelentes para cocinar en la sartén, en tortillas u otros platos como arroces.

● **Propiedades nutricionales** Los espárragos tienen un bajo contenido en calorías (15 calorías por 100 g). Tienen propiedades depurativas y diuréticas, pero también son ricos en ácido úrico. Tienen un alto contenido en calcio, fósforo y potasio. Son ricos en fibra, vitaminas de los grupos A y B, y ácido fólico, que es fundamental para el funcionamiento correcto del metabolismo.

- alcachofa -

Es la flor, aún en forma de capullo, de una especie perteneciente a la familia de las asteráceas, o compuestas, emparentada con el cardo.

Las brácteas se encuentran protegidas por las flores. Por lo general se llaman hojas y se caracterizan por unos colores muy variados, que oscilan del verde al violeta. Las variedades disponibles en el mercado se distinguen dependiendo de la presencia o no de espinas y según el color, que puede ser verde tirando a gris o violeta.

Entre las variedades de alcachofas con espinas más extendidas destacan la Harmony, de color verde; la Green Globe; la Lorca; la Violeta de Provenza y la Madrigal, de forma cónica.

Entre las variedades de alcachofas sin espinas más conocidas destacan la Blanca de Tudela (de color verde, forma cónica-cilíndrica y de producción muy temprana) y la Imperial Star, sin apenas espinas y de color verde brillante y jaspeado.

Consejos para la compra y conservación

Una buena alcachofa debe tener el extremo cerrado, las hojas externas de color verde oscuro y las del interior tiernas, un tallo también tierno y no debe tener pelusa.

Si desea consumirlas crudas, compre alcachofas jóvenes: se reconocen por su tamaño pequeño en relación con la variedad, por la rigidez de las hojas y por el tallo no rugoso y claro. Las alcachofas deben conservarse en el frigorífico: se deben desechar las hojas externas más duras y el tallo, lavarlas, secarlas bien y ponerlas en una bolsa de plástico. Para disfrutar de todo su frescor, se deben consumir en 5 o 6 días como máximo. También se pueden congelar. En este caso, se deben limpiar y escaldar en agua con zumo de limón, dejarlas enfriar y ponerlas en recipientes rígidos.

Preparación y consumo

Las alcachofas pueden cocinarse de múltiples maneras. Recordamos que solo las jóvenes se pueden consumir crudas, aliñadas con aceite, sal y pimienta, o acompañadas de una emulsión de aceite, limón, sal y pimienta y, si lo desea, de algunas hojas de menta, perejil o perifollo. Las alcachofas de tamaño medio y grande, que no se recolectan jóvenes, se pueden hervir y rellenar para cocinarlas en el horno o freírlas. Una vez cocinadas se deben consumir rápidamente porque se alteran enseguida y desarrollan toxinas.

● **Propiedades nutricionales** La alcachofa es rica en hierro y baja en calorías (23 calorías por 100 g). Además, contiene sodio, potasio, calcio, fósforo, hierro, vitaminas, ácido málico, ácido cítrico, taninos y azúcares que también están permitidos a los diabéticos. Es un remedio natural para muchos problemas del organismo: es tónica, estimuladora del hígado, tiene un efecto sedante para la tos, contribuye a purificar la sangre, fortalece el corazón, disuelve los cálculos y desintoxica. Contiene un principio activo, la cinarina (que se pierde con la cocción), que favorece la diuresis y la secreción biliar.

- zanahoria -

La zanahoria pertenece a la familia de las umbelíferas. Puede crecer tanto en estado silvestre como en cultivo. Las zanahorias cultivadas se distinguen por el color y la forma de la raíz (la parte comestible): las variedades que se cultivan para ser cocinadas son las de color naranja. Tienen una longitud que puede variar, según el tiempo de cultivo, de 8 a 15-20 cm. Las zanahorias tempranas se recogen unos cuatro meses después de cultivarlas, mientras que las tardías se recolectan a los 6 meses. Las variedades más comunes son: la redonda de París, con raíces cortas y redondeadas; la media larga de Nantes, de raíz cilíndrica, rojiza y sin corazón; y la Chantenay y la Carentan, de longitud media; entre las variedades largas se encuentran la Berlicum, de forma cilíndrica y sin corazón, y la larga de Saint-Valéry, de color naranja muy intenso.

Consejos para la compra y conservación

Las zanahorias se comercializan durante todo el año, pero las mejores se compran en primavera y verano. Si las adquiere a granel con hojas, observe que tengan un color verde intenso y que estén turgentes, señal de que la hortaliza está fresca. Otra prueba de su frescura es la rigidez: si se doblan fácilmente sin romperse significa que no son frescas. Las raíces deben ser duras y de color vivo: evite comprar zanahorias con tonos demasiado verdes, de color pálido y zonas oscuras, sobre todo en el extremo superior.

A una temperatura de 0 °C y con una humedad entre 90-95 %, las zanahorias se pueden conservar bien durante varios meses. De lo contrario, se deben introducir en el frigorífico, en un envase de plástico sin cerrar. Si las compra con hojas, córtelas antes de meterlas en el frigorífico.

Preparación y consumo

Como verdura aromática, la zanahoria se utiliza para la preparación del sofrito con cebolla y apio. En cambio, cuando es un ingrediente importante de la receta (como guarnición, sola o en ensalada; cruda, hervida o estofada o frita), es mejor que sea pequeña y joven.

Con las zanahorias se pueden elaborar soufflés, y, gracias a su sabor dulce, también pasteles. Si desea tomar un aperitivo sano, puede prepararse un licuado de zanahorias, que deberá consumir recién hecho. Por último, por su color, que se altera poco en contacto con el aire, las zanahorias se usan a menudo como elemento decorativo.

● **Propiedades nutricionales** Las zanahorias son importantes por el aporte de carotenos, sustancias que el organismo transforma en vitamina A, indispensable para la función visual y la reproducción de la piel, las mucosas y las glándulas. Carecen de sales minerales, pero son los vegetales que tienen la mayor cantidad de carbohidratos con un alto índice glucémico. Contienen un 92 % de agua, aceite esencial y poca fibra, y son poco calóricas (35 kcal por 100 g); además, no tienen grasa y no producen colesterol.

- coles -

La familia de las coles es grande y numerosa: incluye centenares de variedades, de las formas más variadas y apreciadas, desde la coliflor al brócoli, pasando por la col china, la col rizada o el repollo. La parte comestible de estas plantas son las hojas (col rizada, col china, col verde, col de Bruselas, repollo) o las inflorescencias aún inmaduras (coliflor, brócoli, grelos).

Consejos para la compra, conservación, preparación y consumo

Coliflor: es una de las coles más utilizadas. La parte comestible la constituye la parte abultada de los pedúnculos florales que se agrupan en el momento de la maduración y que están rodeados de hojas de color verde azulado. Al comprarla, los ramitos deben estar apiñados, la superficie debe ser uniforme y no debe tener brotes verdes entre las inflorescencias de la cabeza; las hojas deben ser más bien duras y romperse, si se doblan. La coliflor, cuando está fresca, se conserva bien durante unos días en el frigorífico; en cambio, se conserva poco tiempo tras la cocción. Se puede consumir cruda, pero generalmente se cocina (hervida, gratinada o frita, o como ingrediente de pastas o menestras). Existen múltiples variedades de coliflor, entre las que destaca la romanesco por su particular inflorescencia.

Brócoli: presenta inflorescencias de color verde intenso y flores blanquecinas parecidas a las de la coliflor pero mucho más pequeñas. Entre las variedades, encontramos Belstar, Chevalier, Iron, Lucky, Merit, Mónaco y Shena, entre otras.

Repollo: está formado por hojas lisas agrupadas en un cogollo compacto de color blanco, rojo, verde o violeta. Las hojas son muy crujientes y se pueden comer crudas o cocidas. De su fermentación se obtiene la col para el chucrut.

Col verde: también conocida como col crespa, se cultiva solo por sus hojas, de forma alargada y de color verde muy oscuro.

Col rizada: tiene hojas verdes y rugosas que se pueden comer crudas o cocidas, en especial en menestras, sopas y guarniciones.

Coles de Bruselas: tienen el tamaño de una nuez, son duras, compactas y de color verde brillante. Se comen cocidas, como sabrosa guarnición; por su característico sabor amargo combinan especialmente bien con alimentos dulces, como las castañas y los garbanzos.

● **Propiedades nutricionales** La familia de las coles se caracteriza por un escaso aporte calórico: unas 20 calorías por 100 g de producto, que llegan a 37 en el caso de las coles de Bruselas. Con algunas diferencias entre las variedades, las coles son ricas en antioxidantes, vitaminas, fósforo, calcio y beta-carotenos, y son apreciadas por sus propiedades anticancerígenas. Todos los tipos de coles son más digestivas si se consumen crudas.

- cebolla y puerro -

La **cebolla** es uno de los vegetales comestibles más antiguos, con una historia milenaria a sus espaldas. En España, el cultivo de esta hortaliza tiene una importancia significativa e incluye numerosas variedades que se diferencian en cuanto a forma, color, tamaño y sabor: pueden ser redondeadas, aplanadas o bien globosas o en forma de peonza; pueden tener las capas que recubren el bulbo de color blanco, rubio o violáceo. Pero la diferencia más evidente se encuentra en la época de recolección: se distingue entre las cebollas de primavera-verano y las de otoño-invierno.

Definido como el «espárrago de los pobres», el **puerro** pertenece a la misma familia de la cebolla. Por lo general se hierve y se gratina con mantequilla y queso, o bien se condimenta, después de hervirlo, con aceite y limón. Si se utiliza crudo en ensaladas, se debe cortar al momento, porque de lo contrario se puede oxidar. Se recogen y consumen en verano o invierno, según la variedad. Los puerros de invierno son más sabrosos, pero están más duros.

Consejos para la compra y conservación

Cuando compre cebollas, fíjese en que sean duras y no tengan magulladuras; las blancas deben ser brillantes, y las demás deben tener la piel bien seca. Las cebollas se conservan entre 0 y 10 ℃ en un lugar bien ventilado, no en el frigorífico, y protegidas de la luz, para evitar que germinen. Una vez peladas y/o cortadas, deben consumirse en 2 días, porque, de lo contrario, pierden el aroma. Las cebolletas se conservan en el frigorífico y se deben consumir en 7-10 días.

Preparación y consumo

Las cebollas de las variedades doradas o rosa son las más picantes, mientras que las blancas (como la Dulce de Fuentes) y rojas (como la Morada de Amposta) son más dulces y adecuadas para saborearlas crudas. Se puede consumir cruda en rodajas, en ensaladas variadas, con alubias cocidas o conservas de pescado; se puede cocinar entera en el horno y aliñarla después con aceite o vinagre, o prepararla rellena de carne. Cuando se fríe en aros o en una tortilla se convierte en un delicioso entremés. Con la cebolla se preparan sopas y menestras, y se completan pizzas y empanadas. Estofada combina bien con el hígado y el bacalao.

Para aromatizar, la cebolla es indispensable en un sinfín de preparaciones: desde arroces hasta fondos, pasando por potajes o picadillos para guisos. Para este uso, la chalota, gracias a su sabor entre el ajo y la cebolla, resulta un ingrediente muy útil, picada o en rodajas.

● **Propiedades nutricionales** La cebolla es un alimento terapéutico: es muy rica en vitamina A, vitaminas de los grupos B y C, calcio, hierro, fósforo, yodo, potasio, silicio, sodio y azufre. Gracias a estos principios activos es depurativa y diurética, y muy eficaz contra los excesos de glucemia y colesterol. De promedio, 100 g de cebolla se componen de: 93 % de agua, 5,7 % de grasas y 1 % de proteínas, y aportan 26 calorías.

- hinojo -

El hinojo es una planta herbácea mediterránea que pertenece a la familia de las umbelíferas. Cuando crece de forma espontánea puede llegar a alcanzar 2 metros de altura, pero se cultiva sobre todo en los huertos para la producción de los bulbos, que es la parte comestible de la planta.

Existen distintas calidades de hinojo: el dulce y cultivado tiene un fuerte sabor a anís, mientras que el que crece en estado silvestre es normalmente amargo. En cocina, los más utilizados son los hinojos cultivados. Podemos citar los hinojos Mantovano, de Trevi, Romanesco, de Latina, el Gigante de Sicilia, el Gigante de Nápoles y el de Bari. Y no faltan variedades híbridas, como Sirio, Chiarino, Montebianco y Helvia. Sin embargo, en las tiendas suelen distinguir simplemente entre hinojo macho y hembra, haciendo referencia a la forma, redondeada en el primero y más alargada en el segundo.

Consejos para la compra y conservación

Para elegir un hinojo fresco resulta útil comprobar que las vainas sean carnosas, crujientes y compactas. El hinojo recién recolectado tiene las nervaduras de la superficie poco acentuadas y un color blanco brillante. Las hojas deben ser muy frescas, de un bonito color verde luminoso, y no deben estar marchitas; si, por el contrario, son oscuras, significa que la hortaliza no está fresca. El hinojo no se conserva durante mucho tiempo, pero se puede guardar en el frigorífico en la parte más baja destinada a las verduras, de 3 a 4 días. Asimismo, hay quien aconseja congelarlos después de escaldarlos, tapados, en la sartén.

Preparación y consumo

El hinojo se puede cocinar de muchos modos: entero o cortado en rodajas, crudo en ensaladas o crudités para untar con una salsa de aceite de oliva, sal y pimienta, o hervido y condimentado, frito, gratinado, a la parmesana o cubierto de bechamel. El hinojo combina bien con diversos acompañamientos, pero es útil recordar que su sabor no marida con el del vinagre. La variedad redonda y crujiente es ideal para degustar con una salsa de aceite de oliva, sal y pimienta, o en ensalada, mientras que el de forma alargada es más adecuado para cocer. Pruébelo con pescado, ya que acompaña perfectamente como salsa, así como en estofados o simples sofritos en la sartén para dar sabor al condimento de la pasta o incluso como delicada y sabrosa guarnición, salteado con un chorrito de aceite de oliva, sal y pimienta. Sus semillas potencian el sabor y son ideales para aromatizar el pan.

● **Propiedades nutricionales** El hinojo está indicado para las mujeres que están dando el pecho porque hace que el sabor de la leche sea agradable, más dulce, y estimula su producción gracias a sus propiedades galactógenas.

Otra sugerencia útil es comerlo crudo al final de la comida porque favorece la digestión. Este efecto beneficioso se debe al anetol, una esencia que se concentra principalmente en las semillas.

- setas -

Las setas, delicadas, aromáticas, gustosas y muy apreciadas, son siempre una presencia muy grata en nuestras mesas. Desde un punto de vista culinario, las setas se dividen en dos grupos: las silvestres y las cultivadas. Se comen crudas dos variedades: *Amanita caesarea* y algunos *boletus,* en particular, las setas de Burdeos, o de calabaza. Las demás se deben cocinar por razones de sabor, dureza y presencia de ligeras trazas de toxicidad, que desaparecen por completo durante la cocción. La seta de Burdeos, con su carne dura y sustanciosa, se considera la reina de las setas. Tiene un sabor y un aroma excelentes, y, por su consistencia dura, es adecuada para numerosas preparaciones. El champiñón es el hongo cultivado más empleado y deriva del champiñón de prado. Las setas de chopo son pequeñas y crecen en los troncos de dicho árbol en los meses de octubre y noviembre, y se pueden cultivar de manera artificial diseminando fragmentos de sus sombreros en los troncos de los chopos.

Consejos para la compra y conservación

El recipiente ideal para las setas es la clásica cesta; también se pueden utilizar bolsas de papel, siempre y cuando no se cierren herméticamente. Para conservar las setas durante más tiempo, se aconseja secarlas, congelarlas o ponerlas en conserva. Por lo general, todas las setas pequeñas y duras se pueden congelar, mientras que las de Burdeos son las más indicadas para secar. Congelar las setas es sencillo: algunas, como las de Burdeos y las trompetas, se deben congelar después de limpiarlas; la mayor parte de ellas, en cambio, se deben escaldar e introducir en el congelador en una bolsa de plástico transparente. Se pueden secar todas las variedades de setas: se limpian, se cortan en láminas, se extienden sobre tablas de madera y se les da la vuelta de vez en cuando. Se conservan en bolsas de tela o papel, o en tarros herméticos esterilizados y bien secos, en un lugar seco.

Preparación y consumo

Una vez recolectadas, las setas se deben limpiar lo antes posible. Para ello se necesita un cuchillo, un cepillo y un paño húmedo. ¡Atención a las setas venenosas! Además de las especies reconocidas como tóxicas, puede suceder que la seta se vuelva venenosa si no se conserva bien o si, en el bosque, ha sido atacada por bacterias o moho. Por ello, es importante examinar con mucho cuidado todas la setas.

● **Propiedades nutricionales** El valor nutricional de las setas es escaso porque están constituidas esencialmente por quitina, una proteína que el hombre no digiere. Así pues, se recomienda consumir, como máximo, una ración de 100 g. Son ricas en vitamina D y en casi todas las vitaminas del grupo B; algunas tienen también vitamina A. Las setas tienen pocas calorías: por cada 100 g, una seta de Burdeos tiene unas 22, mientras que Amanita caesarea solo tiene 11.

- lechugas -

Existen distintos tipos de lechugas y plantas similares para ensalada, aunque, por lo general, los principios nutritivos y la composición no varían.

La **lechuga** es una hortaliza primaveral, pero en la actualidad disponible durante todo el año, muy extendida en España. El nombre en latín, *lactuca*, hace referencia a la sustancia lacticinosa que contiene su tallo, que recuerda a la leche (en latín, *lac*). La familia de las lechugas es muy variada —de hecho, incluye más de 140 tipos—. Es especialmente apreciada por su sabor delicado y se suele subdividir en tres grandes grupos: la lechuga romana, de forma redonda u ovalada y con su característico corazón de color blanco; la lechuga de cogollo, de cogollo compacto y hojas externas crujientes de color verde y muy desarrolladas, y la lechuga para cortar, la primera que aparece en el mercado en primavera. Entre las variedades más conocidas se encuentra la lollo, que puede ser rizada, blanca o roja, y tiene un tallo muy blando, y la rizada, roja o rubia.

Además, existen plantas para ensalada menos conocidas pero que debemos nombrar, como los **canónigos**. Estos tienen un sabor dulce y se recogen en febrero, marzo y abril. Si desea que duren más tiempo, procure comprarlos con las raíces (que deberá desechar solo en el momento de prepararlos). También podemos citar los **berros**, de hojas muy verdes, pequeñas y lisas, y de sabor ligeramente picante (se encuentran en primavera y verano, y se recomienda comprarlos solo si sus hojas son de color verde muy brillante).

Otra planta de uso frecuente en ensaladas es la **rúcula**, que, con su sabor intenso (un poco picante, si se trata de rúcula silvestre), es ideal acompañada de otros tipos de lechugas o para realzar el sabor de algunos platos. También es habitual el consumo de **escarola,** de sabor algo amargo y que combina a la perfección con otros alimentos, como el bacalao o la granada.

Consejos para la compra, conservación y preparación

Las hojas indican el frescor de las lechugas y otras plantas para ensalada: deben ser crujientes, verdes y no tener manchas. Para dar vitalidad a una lechuga con las hojas un poco marchitas, antes de usarlas bastará dejarlas durante media hora en remojo en agua fría. Si desea conservar la lechuga fresca durante más tiempo, después de deshojarla, lavarla y secarla bien, colóquela en una bolsa de plástico para alimentos o en un recipiente de vidrio con cierre hermético en la parte inferior del frigorífico.

● **Propiedades nutricionales** Distintas entre sí en cuanto a forma, color y sabor, las lechugas y otras plantas para ensalada tienen en común un altísimo contenido en agua (95 % o más), la proporción de proteínas y glúcidos, que juntos suman solo un 2-3 %, y la ausencia total de grasas. Por este motivo, son un alimento ideal para las dietas hipocalóricas y cuando se desea mejorar el aporte de vitaminas, sobre todo A y B, porque son ricas en ellas.

- berenjena -

La berenjena puede tener forma redondeada u oblonga (con una pulpa más dulce), o alargada (con sabor más picante). Entre las variedades que se comercializan en España destacan las de forma alargada, como la Corsica, y las de forma semilarga: Alegría, Calanda, Cristal, Erica Gabón y Mulata. Merece la pena mencionar la variedad Dealmagro, de forma variada y colores verde, morado, violeta, etcétera, cuyo fruto se somete a un proceso tradicional de conserva y envasado.

Consejos para la compra y conservación

En el momento de comprarlas, fíjese en que el pedúnculo sea de color verde, no tenga partes secas y esté aún adherido al fruto. La piel debe ser lisa y sin magulladuras, y la pulpa, dura. Un secreto para reconocer la calidad de la hortaliza es la presencia de una protuberancia situada en la base de la berenjena, que indica que la pulpa es compacta y prácticamente no tiene semillas.

Las berenjenas se conservan frescas durante 4 días en el frigorífico; si no les quita el pedúnculo, mantendrán su frescor aún más tiempo. Además, se pueden congelar en rodajas después de escaldarlas, o conservar en aceite.

Preparación y consumo

Por lo general, en gastronomía, las variedades redondas son ideales para cortar en rodajas y cocinar, mientras que las alargadas lo son para cortar en dados o para rellenar de carne o quesos. Otro elemento importante para elegir la berenjena adecuada es la presencia o no de semillas: si no tiene, se puede cocinar sin que las rodajas se rompan o se deshagan. Para limpiar estos vegetales es necesario desechar el pedúnculo y, si no se desea rellenarlos, el botón situado en el extremo opuesto del fruto. Para las variedades alargadas y de tamaño pequeño, se deben salar las rodajas del vegetal, colocarlas en un colador y dejar que se escurran durante 1 hora para que pierdan el exceso de agua y su sabor amargo. Las variedades redondas y de tamaño grande por lo general no requieren esta operación.

Para degustar las berenjenas en su punto óptimo, basta cortarlas en rodajas finas, asarlas durante unos pocos minutos a la plancha y aliñarlas con una emulsión de aceite, ajo en láminas y albahaca. También se pueden hervir, saltear, freír o estofar.

● **Propiedades nutricionales** La berenjena tiene propiedades depurativas y diuréticas, es pobre en azúcares y muy rica en agua, motivo por el que estimula la actividad del hígado; además, se aconseja en las dietas para reducir el nivel de colesterol en sangre. Es una buena fuente de vitaminas de los grupos A y C, así como de sales minerales, y contiene muy pocas calorías (solo 15 por 100 g).

- patata -

Eclécticas y universales: son los dos adjetivos que mejor califican a las patatas. Su piel puede ser marrón, ocre, violeta o cobriza, y la carne, tierna o dura.

Consejos para la compra y conservación

Existe un sinfín de variedades de este tubérculo: se han catalogado unas 200 especies distintas. Entre las más conocidas encontramos la Roseval, la Kennebec, la Red Pontiac, la Monalisa y la Majestic. Las patatas no son una hortaliza de temporada sino que se encuentran en el mercado durante todo el año. Según las siembras, se recogen dos veces, una de mayo a septiembre y la otra de diciembre a marzo, lo que permite que el tubérculo esté siempre disponible. De todos modos, existen algunos consejos que se deben tener en cuenta en el momento de su elección. Fíjese en la piel y en la carne: la parte exterior no debe tener manchas, arrugas ni, sobre todo, brotes: en las patatas germinadas se desarrolla la solanina, una sustancia presente también en las patatas sanas, pero que aumenta notablemente en las germinadas y que puede causar algunas molestias. Su exceso se puede comprobar cuando aparece una coloración verdosa bajo la piel y los brotes, que se debe eliminar por completo. El modo de conservar las patatas tiene una gran importancia: se deben reservar en un lugar fresco, seco y poco iluminado para evitar que germinen.

Preparación y consumo

Existen muchas maneras de cocinar las patatas, según la variedad utilizada. Las patatas fritas son las más sabrosas y conocidas. Para este tipo de preparación se aconseja utilizar aceite de oliva o de semillas, siempre nuevo, y secar bien las patatas antes de freírlas. También son muy apetitosas las asadas. Después de escaldarlas brevemente, pélelas, córtelas por la mitad y póngalas en una sartén con un chorrito de aceite, añada 1 diente de ajo, o salvia o romero, y hornéelas a 220 °C hasta que se doren. La cocción en el horno es la que permite conservar mejor las sustancias nutritivas del tubérculo.

El modo más sencillo de cocinar cualquier variedad de patata es hervirlas durante 30 minutos, sin pelar, para evitar que se dispersen las sales minerales y las vitaminas. La más delicada y la más indicada para las patatas harinosas es la cocción al vapor. Si son grandes es mejor cortarlas, mientras que las tempranas se pueden cocer al vapor enteras y sin pelar.

> ● **Propiedades nutricionales** La patata contiene cerca de un 80 % de agua y un 18 % de carbohidratos, sobre todo almidón. Tiene pocos lípidos y una discreta cantidad de vitamina C y vitaminas del grupo B. Es rica en potasio y pobre en sodio, lo que permite su consumo a pacientes que padecen del corazón o que tienen edemas. Se digiere con facilidad y posee un modesto valor calórico (80 calorías por 100 g).

- pimiento -

La planta del pimiento, originaria del sur de Centroamérica, pertenece al género Capsicum (familia de las solanáceas) y puede alcanzar hasta un 1 metro de altura.

Del pimiento se consume el fruto, una baya carnosa que puede tener distintos colores: verde, amarillo, naranja o rojo, según el grado de maduración alcanzado por la hortaliza en el momento de recogerla. Es característico su sabor, más o menos picante; sin embargo, las variedades dulces son las más consumidas. Entre las más populares en el mercado tenemos la California Wonder, de color amarillo dorado y carne particularmente dulce; Largo de Reus; Morro de Vaca o Morrón Dulce; Amarillo y Verde de Mallorca, o Najerano. La guindilla está emparentada con el pimiento. Sus frutos tienen forma cónica y, según las variedades, se pueden caracterizar por un ápice redondeado, curvado o puntiagudo. Sus bayas se pueden utilizar frescas o secas.

Consejos para la compra y conservación

Para comprar pimientos siempre frescos, compruebe la piel, que debe ser dura, crujiente y sin magulladuras, y el color, que debe ser brillante e intenso. Para conservarlos del mejor modo se recomienda conservarlos en el frigorífico; recuerde que, pese a conservarlos correctamente, cuando transcurren unos días pierden su tono. Así pues, sobre todo si desea saborearlos crudos, con una salsa de aceite de oliva, sal y pimienta, es mejor consumirlos lo antes posible.

Preparación y consumo

La mejor manera de saborear el pimiento es consumirlo crudo, cortado en trozos y aliñado con aceite de oliva virgen extra, sal y limón. Si desea un plato más ligero es preferible pelarlo: para facilitar esta operación, después de asarlo entero bajo el grill del horno o sobre un hornillo, introduzca el pimiento en una bolsa de papel y déjelo «sudar» durante unos minutos. A continuación, estará listo para cortarlo en tiras y servirlo como entremés o guarnición, o conservarlo en aceite o vinagre.

Las membranas de pimiento cocidas y peladas son ideales para elaborar rollitos rellenos de queso y hierbas aromáticas, mientras que los pimientos de forma redondeada son excelentes rellenos con otras verduras, queso, pasta o arroz.

● **Propiedades nutricionales** El pimiento tiene un altísimo contenido en vitamina A (sobre todo los ejemplares maduros de color rojo y amarillo) y vitamina C; además, tiene un bajo contenido calórico (23 calorías por 100 g), que lo hace adecuado para las dietas adelgazantes. Los pimientos pueden tener una acción diurética, así como antirreumática y antineurálgica. La guindilla es rica en lecitina, pectina y vitaminas A, C, PP, P2 y E, así como en calcio y fósforo.

- tomate -

Teniendo en cuenta la difusión y el aprecio que se le tiene, podría parecer que el tomate ha pertenecido desde siempre a nuestra tradición y cultura gastronómica. En realidad, como sucede con otras hortalizas, llegó a las cocinas europeas en tiempos relativamente recientes.

Consejos para la compra y conservación

Un tomate fresco y de calidad debe tener la piel lisa y un color luminoso, no presentar magulladuras y resultar duro al tacto. Existen varios tipos de tomates, que, sobre la base de una clasificación tradicional, se pueden subdividir del siguiente modo.

• Tomates de mesa: deben tener la pulpa consistente, la piel poco gruesa y pocas semillas; tienen forma redondeada, más o menos aplastada, y una superficie lisa o con nervaduras. Su color es rojo pero también se conocen antiguas variedades de piel amarilla. Entre las más famosas destacamos el de Montserrat, de sabor muy suave; el Muchamiel; el Kumato; el Pera de Girona; el Costoluto Genovese o el Cuor de Bue, con su característico aspecto en forma de corazón.

• Tomates para pelar y para salsas: las variedades pertenecientes a este grupo producen frutos en forma de pera, alargados, muy carnosos y con pocas semillas, de color rojo intenso; forman parte del mismo el popular San Marzano y las variedades menores Ventura, Roma, Lampadina, Vesuvio y Napoli.

• Tomates para zumos y concentrados: forman este grupo variedades de frutos redondeados, muy consistentes y de intenso aroma, como los Petomech y Tondino.

Además, existen variedades de frutos pequeños, rojos o amarillos, redondos, ovalados o en forma de pera, a menudo en rama, de vieja tradición local y que se deben consumir frescos o concentrados. Por el sabor y la consistencia de la pulpa, el brillo del fruto y la larga vida tras la cosecha, el tomate siciliano de Pachino ha conquistado con éxito todos los mercados y se ha convertido en el buque insignia de este tipo de frutos. Puede ser de color verde o rojo, y está disponible en distintas variedades: el que tiene nervaduras, el redondo liso, el cereza y el de rama.

Preparación y consumo

Doble concentrado, puré, en pulpa, pelados o secos en aceite: estos son solo algunos de los modos más utilizados para conservar los tomates, que pueden ser industriales o caseros. La preparación de los tomates es muy sencilla: basta lavarlos, desechar las semillas y la base del pedúnculo, y escurrirlos ligeramente para eliminar el exceso de agua.

● **Propiedades nutricionales** El valor calórico de los tomates es bajo (solo 16 calorías por 100 g), pero contiene muchas vitaminas. Su color rojo indica la presencia de licopeno (un agente anticancerígeno) y beta-caroteno. El tomate también es rico en vitamina C. De promedio, 100 g de tomates frescos contienen un 93 % de agua, un 2,9 % de carbohidratos, un 0,2 % de grasas, un 1 % de proteínas y un 1,8 % de fibra.

- achicoria y espinacas -

La achicoria fue descubierta a mediados del siglo XIX cuando la planta original fue sometida a la técnica del forzado para obtener el producto que conocemos: se deshojaba el vegetal y sus raíces se colocaban bajo una capa de turba en la oscuridad. La leyenda narra que un agricultor en invierno transportaba a su casa unas raíces silvestres en una carretilla, las abandonó y se quedaron en la oscuridad durante unos días; un transeúnte, casualmente, las vio, les retiró las hojas externas marchitas y descubrió en sus manos una hermosa achicoria roja.

Variedades, formas y aspectos

La achicoria existe en una gama cromática que varía entre distintas tonalidades de rojo, del vivo y brillante al más oscuro, con tonos verdes claros mezclados con rojos pálidos. Su forma varía según la calidad: puede ser redondeada, cónica o con hojas dentadas en los bordes. La achicoria tiene un sabor amargo inconfundible. Es una hortaliza puramente invernal. La achicoria de Treviso (Radicchio di Treviso) —Indicación Geográfica Protegida (IGP) desde 1996—, es sin duda una de las variedades más famosas; por su color rojo oscuro se asocia al aspecto de los vinos típicos de su territorio. Dentro de esta variedad se distingue entre la achicoria temprana, también denominada «de Treviso», y la tardía, o *radicchio trevigiano*. La primera tiene un cogollo rojo oscuro voluminoso, alargado y cerrado, con hojas estrechas; se reconoce por su longitud (18-25 cm) y su nervadura blanca especialmente visible. El *radicchio trevigiano* tardío

tiene hojas estrechas de color rojizo y la nervadura central de un blanco brillante que ocupa la mayor parte de la hoja. La achicoria de Castelfranco (Radicchio di Castelfranco; IGP) tiene una forma más redondeada y hojas onduladas de un color amarillo crema y violeta rojizo variopinto. La achicoria roja de Verona (Radicchio Rosso di Verona) tiene hojas de color rojo oscuro intenso, una forma redondeada y una nervadura central blanca. La achicoria roja de Chioggia (Radicchio Rosso di Chioggia) es la más cultivada, tiene hojas rojas y una forma redondeada ligeramente aplastada en el ápice. La achicoria de Lusia (Radicchio di Lusia) es redondeada y de color amarillo vivo con una base central blanca. La achicoria silvestre está emparentada con las demás achicorias porque de ella derivan los miembros de la familia de las coriáceas, que forman parte de las compuestas, la familia de las achicorias. Podemos citar la endibia roja, la achicoria belga, las

● **Propiedades nutricionales** La achicoria contiene un 92 % de agua; su contenido de glúcidos es del 3 % y el de proteínas alrededor del 2 %. Contiene muy pocas calorías y es muy rica en vitaminas y sales minerales. Es depurativa y recomendable en caso de mala digestión; además, está indicada para personas con problemas de obesidad, diabetes e insomnio, y a quienes sufren patologías dermatológicas, artritis y reumatismo.

achicorias con el cogollo en forma de roseta —el cicorino rojo y el verde, típicos de primavera—, así como las achicorias de hojas, entre las cuales destaca la puntarelle, o achicoria espárrago. La achicoria belga es verde y su sabor amargo se intensifica en proporción con la coloración. Es excelente cruda en ensalada o cocinada en la sartén y gratinada con bechamel.

Consejos para la compra y conservación de la achicoria

Antes de comprarla, asegúrese de que la achicoria tenga un bonito color, que sus bordes estén intactos, que las hojas no estén arrugadas y que tenga el cogollo ligeramente abierto. Si no la va a consumir enseguida es mejor conservarla en el frigorífico, tapada cubierta o en una bolsa, para que la humedad no estropee sus hojas.

Preparación y consumo de la achicoria

Las preparaciones, cocciones y combinaciones más populares son fruto de la tradición gastronómica local. Tradicionalmente, se conservaba también en salmuera, en orujo, en aceite o en mermelada.

Consejos para la compra y conservación

Cuando compre espinacas frescas, asegúrese de que las hojas sean verdes y su color uniforme, que no tengan partes oscuras, amarillentas o marchitas, y que los tallos estén enteros y duros. El tallo florido y los cogollos llenos de tierra son los indicios claros de un producto de baja calidad. La buena calidad al comprarlas se garantiza con una buena conservación. Puede conservarlas en el frigorífico durante 2 o 3 días, dentro de bolsas de plástico, después de lavarlas (no las deje nunca en remojo porque podrían perder buena parte de sus principios nutritivos) y secarlas; una vez cocinadas es mejor consumirlas enseguida. Si desea congelarlas, antes lávelas bien y escúrralas.

Preparación y consumo de las espinacas

Limpiar las espinacas es sencillo: deseche las hojas que puedan estar amarillentas y, con la ayuda de un cuchillo, separe las hojas de la base y después enjuáguelas. Solo las espinacas más jóvenes se pueden degustar en ensalada.

Además de las espinacas... las acelgas

No pertenecen a la misma familia botánica pero, por analogía con las espinacas en cuanto a su uso culinario, las hemos reunido en este apartado. La **acelga** se cultiva para la producción de sus tallos, o tronchos, y sus hojas.

Las acelgas para tronchos tienen las nervaduras centrales, los tronchos, carnosos y tiernos. Antes de cocinarlas, deseche la parte verde y trocéelas eliminando los filamentos. Se consumen cocidas y aliñadas con aceite de oliva virgen extra, salteadas con mantequilla o gratinadas en el horno. Otras variedades se cultivan para la producción de las hojas. Tienen hojas más pequeñas, lisas o globulosas, y un sabor delicado. Se consumen en ensalada aliñadas con aceite y limón, o se utilizan como base para otras preparaciones.

● **Propiedades nutricionales** Las espinacas son ricas en vitaminas, en particular, A y C, que son muy beneficiosas para la piel y la vista. Además, son ricas en hierro, sales minerales (sobre todo magnesio, potasio y calcio) y ácido fólico. Su bajo aporte calórico (solo 30 calorías por 100 g) las hace muy indicadas en dietas hipocalóricas. En cambio, se desaconseja su consumo a las personas que sufren cálculos renales, porque al producir una gran cantidad de agua, sobrecargan la función renal.

- calabaza -

Cucurbita maxima, o calabaza común, tiene unos frutos casi esféricos, ovalados o alargados, y una piel rugosa, verrugosa o con nervios prominentes, de color amarillo y verde o rojizo. Las más conocidas entre las variedades de esta especie son la Marina di Chioggia, de forma redonda y aplastada en los polos y pulpa compacta; la Piacentina, dura y harinosa; y la Mantovana, pastosa y dulce. Las variedades de la especie *Cucurbita moschata* tienen una forma alargada, la piel lisa de color entre amarillo y verde, y la pulpa entre amarillo y naranja con una consistencia pastosa. A la especie *Cucurbita pepo* pertenecen, sobre todo, las numerosas variedades de calabacines y algunas calabazas de invierno, entre las que no cabe olvidar *Lagenaria* (calabaza de peregrino).

Consejos para la compra y conservación

Al comprar una calabaza, compruebe que sea fresca y esté dura golpeándole la piel: una calabaza madura en su punto debe producir un sonido sordo. El mejor modo de mantener inalterable su frescor, incluso durante varios meses, consiste en conservarla dentro de una bolsa de papel en la parte baja del frigorífico, o en un ambiente oscuro, fresco y seco.

Si compra la calabaza ya cortada, compruebe que la parte expuesta al aire no esté demasiado seca, que tenga un color amarillo intenso o naranja, la piel gruesa y las pipas húmedas y ligeramente resbaladizas. Para conservar las porciones de calabaza, envuélvalas en film transparente y manténgalas en el frigorífico durante un máximo de 3 días. También puede congelar las porciones, después de pelarlas, cortarlas en dados y escaldarlas durante unos minutos; en este caso, se pueden conservar hasta 30 días.

Preparación y consumo

Si la receta requiere la utilización de la pulpa de la calabaza en puré, deseche las pipas y los filamentos, hornéela y, después de la cocción, pélela.

La mejor cocción, si se utiliza la calabaza como base para posteriores preparaciones, es el horno: se puede cocinar entera, sobre papel de aluminio, o en rodajas, siempre cubierta con papel de aluminio para evitar que se seque la superficie. Una alternativa es la cocción al vapor. Es aconsejable hervirla si después se reutiliza el agua de la cocción, que resulta ideal para sopas y menestras; si, en cambio, la calabaza sirve de base para una salsa para condimentar pasta o arroz, se debe estofar. *Cucurbita maxima,* con su pulpa sabrosa y pastosa, es la variedad más versátil en la cocina. Se presta a la elaboración de empanadas, ñoquis, rellenos o arroces; pruébela también para pasteles o mermeladas.

● **Propiedades nutricionales** La pulpa de la calabaza es hipocalórica (15 calorías por 100 g) gracias a su alta concentración de agua (94 %) y tiene un porcentaje de azúcares simples muy bajo. Está indicada para las personas que siguen una dieta adelgazante. Es rica en vitamina A, minerales y fibra, así como en vitamina C y beta-caroteno.

- calabacín y flor de calabacín -

El calabacín, perteneciente a la familia de las cucurbitáceas, es el fruto verde de su planta, *Cucurbita pepo*. La baya, o la parte comestible de la planta, puede tener distintos colores, que oscilan del verde muy claro al verde oscuro con rayas amarillentas, y formas (puede ser redonda o más o menos alargada). Algunas de las variedades más habituales son Black Beauty, Verde, Princesa Negra, Zucchini, Diamante, Redondo de Niza, con su característica forma abombada, o Striata di Napoli, larga y esbelta y con venas claras.

Una característica de la planta del calabacín es la producción de flores acampanadas, denominadas flores de calabacín. Pueden abrirse en el extremo de la hortaliza, si son femeninas, o en los tallos de la planta, si son masculinas. Las flores masculinas se reconocen por su pedúnculo largo y más fino en la base de los pétalos; las femeninas, en cambio, tienen un pedúnculo muy corto. Ambos tipos son comestibles, pero normalmente se consumen las flores masculinas.

Consejos para la compra y conservación

Los mejores calabacines se recogen, aún jóvenes, cuando todavía no se han desarrollado las semillas internas y la flor unida al fruto apenas ha florecido: de este modo, su pulpa estará muy dura y su piel tensa. Un calabacín de calidad debe tener una longitud entre 15 y 20 cm y un peso de unos 100-150 g. Antes de comprarlos, asegúrese de que estén duros y su piel sea lisa y de color verde brillante. En el frigorífico se conservan durante una semana aproximadamente.

Cuando compre flores de calabacín, debe comprobar que tengan un color vivo y brillante; deben tener el cáliz hinchado y estar abiertas. Además, es necesario que no tengan los pétalos rizados ni doblados hacia fuera: deben estar desplegados y, del mismo modo que los tallos, enteros y duros. Por su delicadeza, es mejor consumirlas en 24 horas. De todas formas, se pueden conservar durante unos días: las flores masculinas se pueden mantener frescas durante un máximo de 2 días con los tallos sumergidos en agua; las femeninas se deben conservar en el frigorífico, en el compartimiento de los vegetales, sin arrancarlas de la hortaliza. Es importante lavarlas y limpiarlas solo antes de consumirlas.

Preparación y consumo

Antes de proceder a cualquier tipo de preparación, los calabacines se deben lavar y cortarles los extremos; normalmente no es necesario pelarlos. Se cortan en rodajas, más o menos gruesas, en forma de cerilla, en juliana o en dados, y se pueden rallar o vaciar y rellenar.

● **Propiedades nutricionales** Los calabacines son ricos en potasio, vitaminas E y C, carotenoides y ácido fólico; dado que este último es muy sensible al calor, se recomiendan cocciones cortas. Tienen un bajo contenido calórico (11 calorías por 100 g). Tienen un efecto laxante, diurético, refrescante y desintoxicante.

- los utensilios -

1. **Batidora eléctrica** Ideal para elaborar cremas y purés, también es un valioso aliado en la cocina para proporcionar homogeneidad a los purés de hortalizas.

2. **Descorazonador o vaciador** Para vaciar las verduras largas, como los calabacines, las berenjenas o los pepinos. Se introduce en la piel de la hortaliza y se extrae la pulpa con las dos hojas dentadas.

3. **Freidora** Para preparar en casa frituras de calabacines, flores de calabacín, patatas y zanahorias, así como para freír alcachofas o elaborar una tempura según los cánones.

4. **Cazo de cobre estañado** La altísima conductividad térmica del cobre estañado permite mantener una temperatura homogénea en toda la superficie del utensilio durante la cocción. Así obtendrá excelentes sopas y verduras estofadas de manera uniforme.

5. **Ralladores** Sus distintos orificios permiten rallar apio, zanahorias y patatas en distintos tamaños. Los pies de silicona impiden que resbalen cuando se usan.

6. **Cuchillo para verdura** Indispensable para pelar y acabar de limpiar las hortalizas. Gracias a su hoja curvada, permite realizar cortes en las verduras y decorarlas fácilmente.

7. **Cortaverduras** Permite cortar las verduras en trozos de forma ondulada, ideales para una menestra de verduras. A diferencia de los utensilios normales para cortar que tienen la hoja móvil, en este caso el alimento se hace pasar con rapidez por el cortaverduras, mientras este permanece inmóvil.

8. **Pelapatatas de hoja móvil** Para pelar verduras como patatas o zanahorias. Su hoja móvil facilita la operación del modo más seguro.

- canelones con brócoli -

Ingredientes para 4 personas

250 g de placas de canelones
1 kg de brócoli, 2 puerros
250 g de queso roncal, 40 g de queso pecorino
100 ml de leche, 400 ml de bechamel, sal
y pimienta

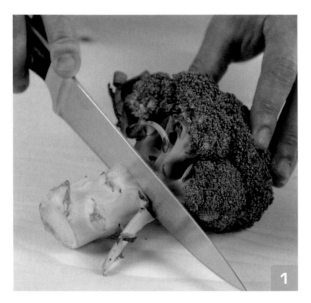

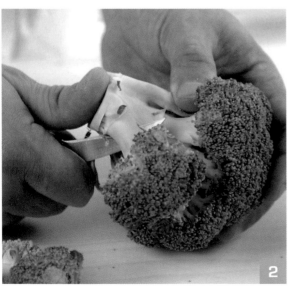

1-2-3-4. Corte el tallo duro del brócoli. Corte los ramitos con la ayuda de un cuchillo pequeño y afilado, y lávelos bajo el grifo. Cuézalos al vapor durante 10 min o hiérvalos durante 7-8 min como máximo. Escúrralos, córtelos muy finos y rectifique de sal.

5. En una sartén, rehogue el puerro cortado en rodajas, añada el brócoli, cueza durante 5 min y deje que se entibie. Mézclelo en un recipiente grande con 1/3 de la bechamel (para la preparación, véase p. 77) y el queso roncal cortado. Salpimiente y aromatice con queso pecorino rallado.

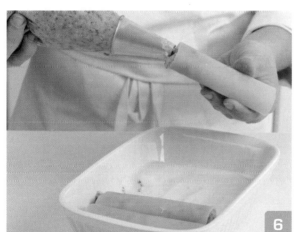

6-7-8-9. Rellene los canelones con la mezcla, colóquelos en una bandeja de hornear untada con un poco de bechamel y complete con el resto de la bechamel, diluida en 100 ml de leche. Espolvoree con el queso pecorino y copos de mantequilla. Hornee a 180 °C durante 15-20 min.

- cardos gratinados -

Ingredientes para 4 personas

1 kg de cardos
4 c de queso de oveja
3 c de pan rallado
3 c de aceitunas negras sin hueso
1 c de alcaparras
1 c de harina
perejil, aceite de oliva virgen extra
sal y pimienta

1-2-3. Deseche las hojas externas más duras y, con la ayuda de un chuchillo, retire los filamentos externos y la base más dura de los cardos.

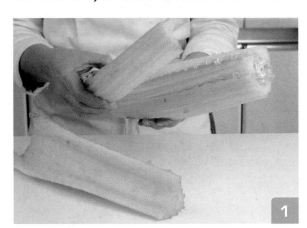

4-5. Corte los tallos en trozos y raspe la superficie para eliminar la pelusa y otros posibles filamentos. Ponga los trozos limpios en remojo en una fuente, cubiertos de agua fría con zumo de limón para que no ennegrezcan. Hiérvalos durante 1 h en agua con una pizca de sal y 1 c de harina.

6-7-8-9-10. Mientras tanto, en una fuente, mezcle el pan rallado, el queso de oveja, las alcaparras, las aceitunas previamente troceadas, perejil picado y pimienta.

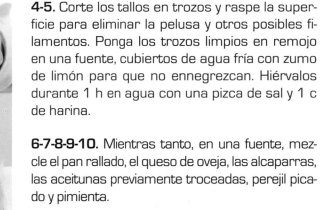

15

11-12-13. Escurra los cardos y coloque una capa de los mismos en una bandeja de hornear ligeramente engrasada con aceite. Reparta por encima el condimento preparado y cubra con otra capa de verdura.

14-15. Complete con un chorrito de aceite de oliva virgen extra y hornee a 200 °C durante 20 min. Retire los cardos del horno y sírvalos bien calientes.

- coliflor gratinada -

Ingredientes para 4 personas

1 coliflor, 3 c de queso emmental
1/2 l de leche, 1 hoja de laurel
75 g de mantequilla, 25 g de harina
de repostería
3 huevos, 2 c de pan rallado
1 limón, pimienta en grano, sal y pimienta

1. Corte la coliflor en ramitos; lávelos y hiér-valos.

2. Mientras, derrita 40 g de mantequilla en un cazo. Añada la harina, remueva durante 1 min y vierta la leche poco a poco, sin dejar de re-mover. Lleve a ebullición y salpimiente. Añada el laurel, los granos de pimienta y una pizca de sal. Remueva y deje hervir a fuego lento duran-te 10 min.

3-4-5. Agregue las yemas de huevo y 1 c de zumo de limón. Mezcle bien.

5-6-7. Bata las claras a punto de nieve e incorpórelas a la crema removiendo de abajo hacia arriba. Unte una bandeja de hornear con 10 g de mantequilla y vierta en ella la mitad de la crema que ha preparado. Cubra con los brotes de coliflor y complete con el resto de la crema.

8-9. Mezcle el pan rallado con el queso emmental rallado y espárzalos sobre la preparación con el resto de mantequilla. Hornee durante unos 30 min a 180 °C. Sirva el gratinado bien caliente.

- albóndigas de coliflor -

Ingredientes para 4 personas

150 g de coliflor
150 g de patatas hervidas
1 queso provolone o, en su defecto,
mozzarella (150 g)
1 huevo
2 c de parmesano
6 c de pan rallado
aceite de semillas para freír
semillas de sésamo
sal

1. Pase las patatas, hervidas y peladas, por el pasapurés.

2. Limpie la coliflor, córtela en ramitos y hiérvala durante 10 min en agua con sal. Escúrrala y añádala a las patatas.

3-4. Cháfela con un tenedor hasta que esté bien mezclada con las patatas. Añada el huevo, el parmesano, 2 c de pan rallado y la sal.

5. Forme albóndigas y rellénelas con un trocito de provolone.

6. Pase las albóndigas por el pan rallado, condimentado con semillas de sésamo, y fríalas en aceite de semillas hirviendo.

7. Deje que se escurran en papel absorbente y sírvalas bien calientes.

- ribollita -

Ingredientes para 4 personas

250 g de col rizada
250 g de col verde, 100 g de acelgas
1 zanahoria, 1 cebolla
250 g de alubias cocidas
1 patata
100 g de tomates pelados (o puré
de tomate)
1 puerro
1 tallo de apio, caldo vegetal
150 g de pan de payés
perejil, tomillo y romero
aceite de oliva virgen extra, sal y pimienta

1-2. Lave y pele toda la verdura teniendo cuidado de cortar en trozos más pequeños y finos los tallos centrales de las acelgas, de la col rizada y de la col verde, para que se cuezan con más facilidad junto con las hojas. Corte toda la verdura en trozos gruesos.

3-4. Vierta aceite de oliva en una cacerola grande y sofría la zanahoria, la cebolla, el puerro, el apio y el perejil; por último, añada los tomates pelados troceados. Mientras, prepare un manojo de tomillo y romero; para ello, ate las ramitas de las hierbas con hilo bramante. Agregue el resto de verduras y el manojo aromático. Rectifique de sal y cueza las verduras, añadiendo, de vez en cuando, caldo vegetal.

5-6. Triture con la batidora 2/3 de las alubias e incorpore la crema obtenida a las verduras. Añada el resto de alubias enteras. Deje cocer durante 5 min más para que se mezclen bien todos los ingredientes.

7-8. Prepare unos cuencos de barro, en los que alternará una capa de verduras y una de pan, preferiblemente duro, cortado en rebanadas. Remoje bien el pan y sirva la *ribollita* muy caliente, con un chorrito de aceite y pimienta molida.

- *orecchiette* con hojas de nabo -

Ingredientes para 4 personas

250 g de *oriecchiette* (u otro tipo de pasta corta, como tiburones o conchas)
400 g de hojas de nabo
1 diente de ajo
2 filetes de anchoa
1 guindilla pequeña
aceite de oliva virgen extra, sal

1-2-3. Lave y limpie las hojas de nabo; para ello, deseche las hojas y los tallos más duros y conserve solo las puntas más crujientes. Hierva las *oriecchiette* durante unos 10 min en una cacerola con abundante agua con sal. Añada las hojas de nabo y deje cocer durante 4-5 min más.

● Si cocina *oriecchiette* frescas, ponga las hojas de nabo en el agua junto con la pasta y controle la cocción.

4. Mientras tanto, en una sartén, caliente un chorrito de aceite de oliva y dore a fuego lento el ajo pelado, la guindilla picada, y las anchoas, hasta que se deshagan por completo.

5-6. Escurra la pasta y las hojas de nabo, y viértalas en la sartén. Saltéelas para que se aromaticen y sírvalas, si lo desea, con queso de oveja recién rallado.

- hinojos rellenos -

Ingredientes para 4 personas

4 hinojos medianos o grandes
3 patatas hervidas
200 g de salchichas
1 huevo
2 c de parmesano rallado
2 c de pan rallado
sal y pimienta

1-2-3-4. Deseche el extremo inferior de los hinojos. Corte las ramas superiores y resérvelas. Retire las hojas externas más duras de la hortaliza. Corte los hinojos por la mitad. Cuézalos al vapor durante unos 15 min, déjelos enfriar y, con la ayuda de una cuchara, vacíeles el corazón. Corte este último en trozos gruesos y resérvelo.

5-6-7-8. Chafe las patatas y añada las salchichas desmenuzadas, la pulpa interna de los hinojos, el queso rallado, las ramas verdes de la verdura, cortadas muy finas, y el huevo. Rectifique de sal y pimienta, y mezcle con cuidado. Rellene los hinojos con la mezcla y colóquelos en una bandeja cubierta con papel sulfurizado. Espolvoréelos con el pan rallado y hornéelos durante 10 min a 190 °C. Retírelos del horno y sírvalos.

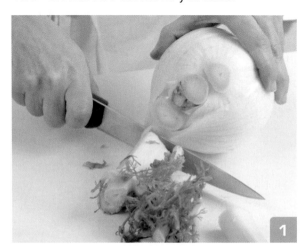

● También puede utilizar el relleno de patatas y salchichas para rellenar 4 calabacines redondos, cocinados al vapor y vaciados.

- endibias estofadas -

Ingredientes para 4 personas

4 cogollos de endibias
perejil, guindilla
aceite de oliva virgen extra, sal y pimienta

1-2-3-4. Lave las endibias y pélelas; córtelas por la mitad a lo largo. Cuézalas en un poco de agua con la guindilla. Salpimiente y añada una pizca de perejil picado. Deje cocer hasta que las endibias estén bien doradas. Aromatice con un chorrito de aceite y sirva.

- escarola salteada a la napolitana -

Ingredientes para 4 personas

1/2 kg de escarola
3 c de aceite de oliva virgen extra
2 dientes de ajo, 1 c de piñones
1 c de pasas, 1 c de alcaparras
7-8 aceitunas negras, guindilla
2 anchoas en aceite, sal y pimienta

1. Lave la escarola, escúrrala bien y trocéela con la ayuda de un cuchillo.

2. En una cacerola de fondo grueso, caliente el aceite con el ajo majado y la guindilla. Añada la escarola, tape y deje rehogar durante 10 min, removiendo de vez en cuando.

3-4. Agregue los demás ingredientes, remueva y deje cocer a fuego fuerte, sin la tapa, durante unos minutos. Una vez finalizada la cocción, rectifique de sal y pimienta, y sirva la escarola salteada recién hecha.

● Puede sustituir la escarola por acelgas u hojas de nabos. También puede utilizar la escarola salteada como relleno de una tarta salada o como condimento para rebanadas de pan tostado.

- soufflé de achicoria -

Ingredientes para 4 personas

100 g de achicoria roja
2 huevos
1 clara de huevo
1 c de pasas
1 c de emmental
20 g de mantequilla
sal y pimienta blanca

para la bechamel

25 g de mantequilla
25 g de harina de repostería
250 ml de leche
1/2 vaso de nata fresca
sal

1. En un cazo, derrita la mantequilla para la be-chamel y añada la harina; déjela dorar y vierta la leche, removiendo hasta que hierva. Sale, baje el fuego y deje hervir durante 5-6 min. Incorpore la nata, vuelva a llevar a ebullición, deje reducir y retire el cazo del fuego.

2. Hierva las hojas de achicoria en agua con sal durante 5 min, escúrralas, déjelas enfriar, escú-rralas de nuevo y córtelas muy finas. Añádalas a la bechamel. Rectifique de sal y pimienta.

3-4. Retire el cazo del fuego e incorpore el queso, las pasas, puestas en remojo y escurridas, 2 yemas y 3 claras de huevo montadas a punto de nieve, removiendo de abajo hacia arriba.

5. Distribuya la mezcla hasta 3/4 de su capacidad en 4 moldes individuales untados con mantequilla.

6. Hornee los soufflés de achicoria a 190 °C durante 15-20 min; evite abrir la puerta del horno durante la cocción. Sírvalos recién sacados del horno para evitar que pierdan volumen y esponjosidad.

- queso de cabra relleno de achicoria -

Ingredientes para 4 personas

1/2 kg de achicoria
8 porciones de queso de cabra en rulo
3 peras
5 lonchas de jamón serrano
aceite de oliva virgen extra
1 limón
1 diente de ajo, sal y pimienta

● Para la limpieza: deseche las hojas más externas de la achicoria y córtela por la mitad; lávela después bajo el grifo abriendo las hojas para eliminar posibles residuos de tierra en el interior. Para atenuar el sabor amargo, deje las hojas en remojo durante al menos dos horas antes de cocinarlas.

1-2. Limpie la achicoria, lávela y séquela con cuidado. Pele las peras, corte la pulpa en forma de bastoncitos y remójelos con el zumo del limón para que no ennegrezcan. Rehogue la achicoria en la sartén con 3 c de aceite de oliva y el diente de ajo. Si es necesario, riegue con un poco de caldo vegetal.

3-4-5-6. Corte las porciones de queso de cabra por la mitad y espolvoréelas con una pizca de pimienta; disponga achicoria, rodajas de pera y lonchas de jamón sobre una mitad de queso y cierre con otra mitad, como si fuera un bocadillo. Cocínelas a la parrilla o sobre una plancha rayada de hierro fundido durante unos pocos minutos. Emplate las porciones de queso caliente rellenas y sírvalas.

● También puede cocer a la parrilla las peras, cortadas en rodajas redondas y gruesas antes de ponerlas en el queso. Si lo desea, puede sustituir las lonchas de jamón serrano por jamón de York o panceta.

- apio nabo en su jugo -

Ingredientes para 4 personas

400 g de apio nabo
2 dientes de ajo
300 ml de puré de tomate
aceite de oliva virgen extra, perejil
sal y pimienta

1-2-3. Limpie el apio nabo, córtelo en cuñas y pélelo. Córtelo en rodajas gruesas y, después, en forma de bastoncitos.

4-5-6. Dórelo en una sartén con un poco de aceite y el ajo. Añada el puré de tomate y deje cocer durante unos 20 min. Rectifique de sal, espolvoree con perejil picado y sirva.

6

● El apio nabo es una variedad de apio que se caracteriza por su raíz globosa de gran tamaño. Es comestible y tiene un sabor más delicado que el apio tradicional. Se recolecta en otoño e invierno, y es rico en selenio y bajo en calorías.

- limpieza y cocción de las espinacas -

1. Limpie las espinacas; para ello, retire primero el extremo más duro.

2. Arranque los tallos y reserve solo las hojas.

3. Hiérvalas con un poco de agua con sal durante unos 3 min o cuézalas en un colador al vapor durante 10 min. Escúrralas antes de utilizarlas.

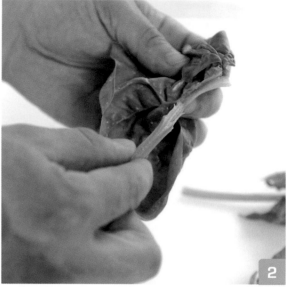

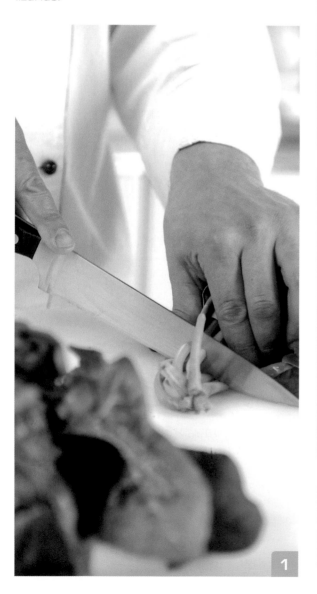

● Si las espinacas presentan hojas globulosas, se deben lavar repetidas veces en abundante agua fría para eliminar toda la tierra.

- bolitas de ricotta y espinacas -

Ingredientes para 4 personas

1 kg de ricotta
1/2 kg de espinacas limpias
2 huevos, harina de repostería
parmesano rallado, nuez moscada, sal

1-2. Escalde las espinacas, escúrralas bien y córtelas muy finas; añada la ricotta, abundante parmesano rallado, los huevos, una pizca de sal y nuez moscada en polvo. Mezcle con una cuchara de madera.

3-4-5-. Añada 3-4 c de harina para compactar la mezcla y forme bolitas con las manos. Páselas por la harina. Sumérjalas poco a poco en agua hirviendo con sal. Escúrralas a medida que vayan ascendiendo a la superficie y colóquelas, en una sola capa, en una bandeja de hornear. Condiméntelas con mantequilla y salvia, o, si lo desea, con salsa de tomate. Esparza parmesano y copos de mantequilla, y gratínelas en el horno durante 10-15 min.

- paquetitos de col rizada -

Ingredientes para 4 personas

1 col rizada
200 g de carne picada de ternera y cerdo
100 g de mortadela
50 g de parmesano rallado, 1 huevo
1/2 vaso de leche
1 panecillo duro o pan de molde sin corteza
perejil
1 diente de ajo
nuez moscada, sal y pimienta

para la salsa

50 g de mantequilla
2 c de aceite de oliva virgen extra
250 g de tomates pelados
1/2 cebolla, sal

1-2-3-4. Limpie la col rizada y elija las 12 hojas más hermosas; escáldelas en agua hirviendo con sal y déjelas enfriar. Pique el perejil, el ajo y la mortadela, y, en un cuenco, mézclelo todo con la carne picada, el parmesano rallado, el pan (reblandecido en leche y escurrido), el huevo, nuez moscada, sal y pimienta.

5-6. Forme 12 grandes albóndigas y envuelva cada una con 1 hoja de col rizada; ate cada paquetito con hilo bramante.

7-8-9. Dore la cebolla en aceite y mantequilla, y añada los tomates pelados, chafados con un tenedor. Cueza los paquetitos en esta salsa durante 30 min; deles la vuelta de vez en cuando y agregue un poco de agua si el jugo resultase demasiado seco. Sírvalos calientes.

5

8

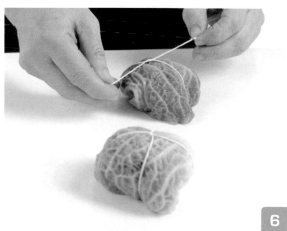

6

7

9

Las hojas de col rizada restantes se pueden escaldar, cortarlas muy finas e introducirlas en el relleno.

- limpieza y cocción de los espárragos -

1. Lave los espárragos bajo el grifo y corte con un cuchillo y deseche la parte final del tallo, que es dura y terrosa.

2-3. Ráspelos con un pelaverduras. Átelos con hilo bramante para mantenerlos unidos durante la cocción.

4-5. Hiérvalos en agua con sal durante 10 min o hasta que estén bien tiernos. Escúrralos y póngalos en una fuente con agua y hielo para conservar la vivacidad de su color.

También puede preparar los espárragos en una olla especial para espárragos, o en una cacerola suficientemente alta que permita ponerlos de pie, con un poco de agua en el fondo; de este modo, las puntas, especialmente delicadas, no están en contacto directo con el agua.

5

- risotto con espárragos -

Ingredientes para 4 personas

350 g de arroz carnaroli
10-12 espárragos verdes
1 cebolla pequeña
50 g de mantequilla
1/2 vaso de vino blanco
1 l de caldo vegetal
4 c de parmesano rallado
sal

1-2. Limpie los espárragos, como se describe en la p. 58, córtelos en rodajas y reserve las puntas. Corte la cebolla muy fina y rehóguela en un cazo con 30 g de mantequilla. Añada los espárragos y déjelos aromatizar durante unos minutos con el fondo de cebolla. Vierta el arroz en el cazo y dórelo sin añadir líquido. Riegue con el vino blanco.

3-4. Una vez evaporado el vino, empiece a incorporar caldo hirviendo: un cucharón cada vez que el arroz absorba el anterior. Agregue las puntas de espárrago 7-8 min antes de finalizar la cocción y sazone con sal.

● Los espárragos se recogen de finales de marzo a junio. Tras este período de tiempo, a menudo se importan.

5-6. Con el fuego apagado, añada la mantequilla restante y el parmesano rallado; sírvalo caldoso, después de dejarlo reposar un par de minutos.

- limpieza de las alcachofas -

1. Corte los tallos de las alcachofas por la mitad y deshójelas desechando las hojas externas, ya que son las más duras. Con la ayuda de un cuchillo, limpie el tallo de la hortaliza cortando la parte superficial filamentosa.

2-3. Corte las puntas de las hojas con un cuchillo de hoja lisa y fuerte y deséchelas; corte las alcachofas por la mitad en sentido longitudinal.

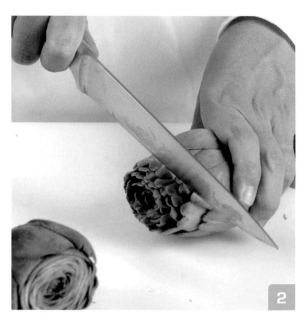

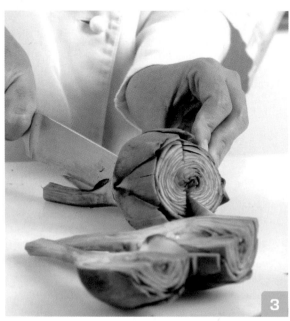

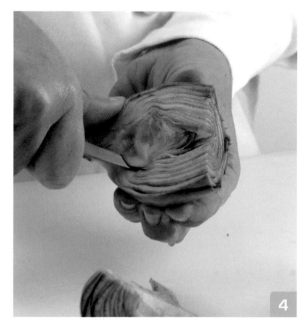

4-5. Retire la pelusa que se encuentra en el interior y sumérjalas en agua con zumo de limón para que no ennegrezcan.

6-7. Córtelas en rodajas finas para consumirlas crudas en ensalada. Para preparar alcachofas rellenas, después de retirar las hojas externas y de recortar el tallo, vacíelas con un descorazonador para eliminar la pelusa sin cortar la hortaliza por la mitad.

5

6

7

● Las alcachofas se pueden congelar sin problemas después de limpiarlas, cortarlas y escaldarlas en agua y limón.

- alcachofas fritas rebozadas -

Ingredientes para 4 personas

4 alcachofas
250 g de harina de repostería
1 c de aceite de oliva virgen extra
2 claras de huevo, aceite de semillas
para freír, sal

● Esta pasta de rebozar, ligera gracias a la presencia de la clara montada a punto de nieve, es adecuada también para freír pescado, carne o frutas (por ejemplo, manzanas verdes, fresas u orejones de albaricoque).

1. Limpie las alcachofas y corte cada una en 6 cuñas; escáldelas en agua con sal durante 3 min, escúrralas y resérvelas.

2. Para la pasta de rebozar, mezcle la harina con el aceite de oliva, una pizca de sal y el agua fría necesaria para obtener una consistencia cremosa. Bata durante unos minutos y deje reposar durante 1 h aprox. Añada las claras montadas a punto de nieve justo antes de freír, y sumerja las cuñas de alcachofa en la pasta de rebozar.

3-4. Fría las alcachofas en abundante aceite de semillas hirviendo y escúrralas en papel absorbente. Sálelas y sírvalas recién hechas para que la corteza dorada no se humedezca y se mantenga crujiente.

- ensalada de alcachofas -

Ingredientes para 4 personas

8 alcachofas, 80 g de parmesano
2 limones no tratados
aceite de oliva virgen extra, sal y pimienta

1. Seleccione las alcachofas más tiernas y, prestando atención a las espinas, deshójelas desechando las hojas externas, ya que son más duras.

2. Sumérjalas una a una en agua fría con el zumo de un limón para evitar que ennegrezcan.

3. Escúrralas, corte los corazones en rodajas muy finas y colóquelas en una ensaladera; sazónelas con una emulsión a base de aceite, el zumo del segundo limón, sal y una pizca de pimienta. Aliñe la ensalada con esta salsa, agregue el parmesano cortado en láminas finas y mezcle con cuidado.

Las ensaladas de alcachofa se pueden enriquecer con distintas hierbas aromáticas: entre las más indicadas, recordamos la menta, el perejil o el perifollo.

- alcachofas a la judía -

Ingredientes para 6 personas

12 alcachofas
2 limones
aceite de oliva virgen extra
sal y pimienta

1. Deseche las hojas más duras de las alcachofas, limpie los tallos en la base de las hojas y corte las puntas girándolas lentamente con la mano izquierda, mientras la mano derecha sujeta con firmeza un cuchillo pequeño de hoja lisa y lo hace penetrar en la primera capa de hojas. Deseche la parte violeta de cada capa de hojas, procediendo hacia el corazón; al final, la alcachofa debe tener la forma redondeada de una rosa. Sumérjalas durante al menos 10 min en una fuente de cristal llena de agua fría con zumo de limón.

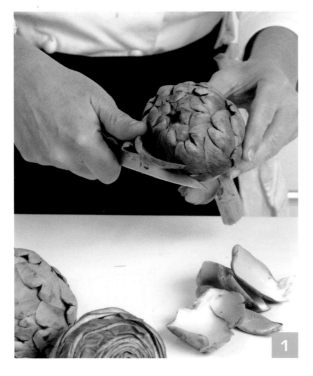

2. Escúrralas, séquelas y golpéelas una contra otra para que las hojas empiecen a abrirse. Sazone el interior con sal y abundante pimienta recién molida. Déjelas reposar durante unos minutos.

3. En un cazo, caliente aceite de oliva suficiente para cubrir las alcachofas por completo; sumérjalas y déjelas cocer en aceite caliente pero sin hervir durante 7-10 min, evitando que se ablanden demasiado. Escúrralas, déjelas enfriar en una bandeja durante unos 20 min y, con el pulgar, abra las hojas de dentro afuera para que adquieran la forma característica de una rosa en flor.

4. Vierta abundante aceite de oliva en una sartén y fría las alcachofas a fuego fuerte, una a una y con la cabeza arriba, presionándolas ligeramente para que se fría bien también el interior.

● Las alcachofas jóvenes no suelen tener pelusa ni hojas para desechar. Son más pequeñas y compactas, y tienen unas hojas crujientes que se rompen.

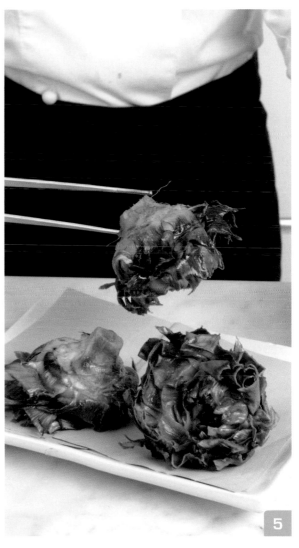

5. Cuando estén bien doradas, escúrralas, colóquelas sobre papel absorbente y sírvalas calientes, condimentadas con sal y pimienta.

- alcachofas en aceite -

Ingredientes para 6 tarros

4 kg de alcachofas
2 limones
6 dientes de ajo
guindilla, orégano
vinagre de vino blanco
pimienta negra en grano
4-5 clavos
aceite de oliva virgen extra
sal

1-2. Limpie las alcachofas conservando solo el corazón, que es tierno. Tornee la base para eliminar las partes duras y, con un cuchillo, corte y deseche las puntas de las hojas más pequeñas del centro. Sumérjalas enseguida en agua con el zumo de los limones. Después escúrralas.

3. Lleve a ebullición agua y vinagre, con la proporción de 1/2 l de vinagre por cada l de agua, y añada una pizca de sal. Sumerja las alcachofas y hiérvalas durante unos 30 min, hasta que adquieran un color claro.

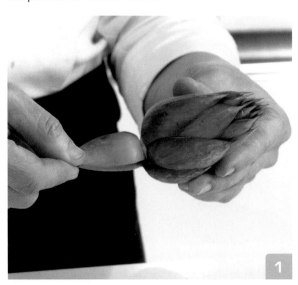

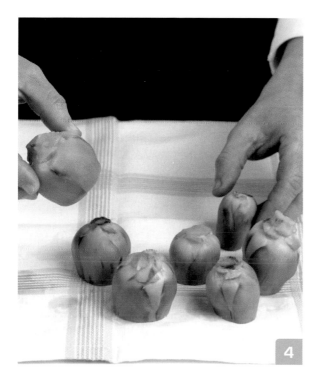

4-5. Escúrralas y colóquelas hacia abajo sobre un paño: déjelas secar durante al menos 1 h. Introdúzcalas en tarros de cristal esterilizados, encajándolas bien para que no floten, y agregue el ajo, el orégano y las demás especias.

6. Es importante cubrir por completo las alcachofas con aceite de oliva. Déjelas reposar con el tarro abierto durante 1 h, rellene de aceite y cierre el tarro herméticamente. Consérvelas en un lugar fresco y oscuro.

- limpieza y cortes de las zanahorias -

1-2. Corte las hojas de las zanahorias y sus dos extremos con la ayuda de un cuchillo. Luego, pélalas con un pelaverduras.

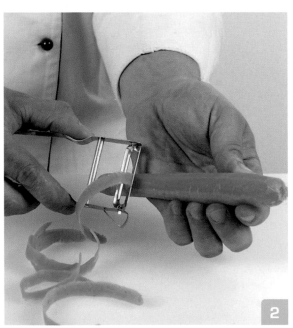

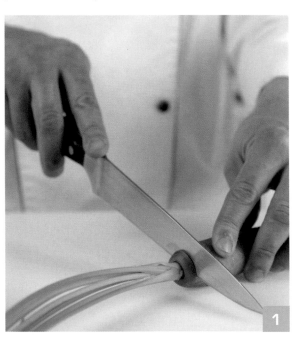

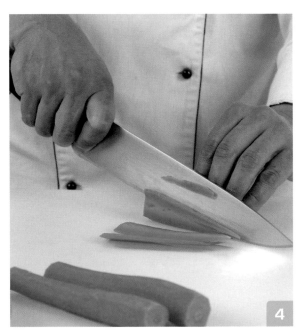

La zanahoria es una de las hortalizas que mejor se presta a distintos cortes, según el tipo de preparación. Estos son algunos ejemplos:

3-4. En juliana: para las ensaladas. Corte la zanahoria por la mitad, apoye la parte plana sobre la superficie de trabajo y córtela en tiras finas en sentido longitudinal.

5. Ralladas, para purés, rellenos o masas: para esta preparación se necesita un rallador con orificios grandes o finos, según se desee.

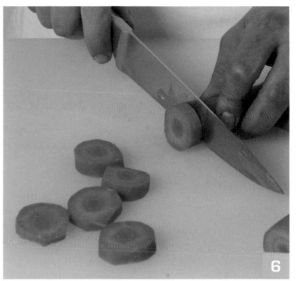

6. En rodajas, para guarniciones cocinadas: sencillamente, se deben cortar las zanahorias en rodajas más o menos gruesas.

7. Cortadas en brunoise o en mirepoix, para el sofrito: para obtener este corte es necesario cortar las zanahorias en forma de bastón y, luego, muy finas, en dados regulares.

- flan de zanahorias -

Ingredientes para 4 personas

1 kg de zanahorias
70 g de mantequilla
2 huevos
100 g de parmesano rallado
100 g de pan rallado
10 g de azúcar
3 g de sal
pimienta

1-2-3. Pele las zanahorias, córtelas en rodajas y hiérvalas durante 10 min. Escúrralas y complete la cocción en la sartén con la mantequilla. Añada el azúcar, la sal y pimienta. Una vez cocidas, tritúrelas con la batidora eléctrica hasta obtener una crema.

4-5. Agregue los huevos batidos, el queso y 50 g de pan rallado. Unte 4 moldes individuales con mantequilla y espolvoréelos con el pan rallado restante. Llénelos con la crema de zanahorias y hornéelos a 180 °C durante 15-20 min.

6-7. Retire los moldes del horno, déjelos entibiar un poco y, con la ayuda de un cuchillo, desmolde los flanes con cuidado.

8. Sirva los flanes de zanahoria; si lo desea, los puede acompañar con una salsa de puerros, de apio o de queso (véase recuadro en esta misma página).

● Puede servir los flanes con una salsa de queso emmental, gruyer o fontina: caliente en un cazo a fuego lento 100 ml de leche y 50 ml de nata. Añada 70 g del queso elegido en trozos. Mezcle y deje cocer durante unos cuantos minutos.

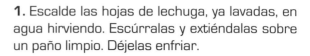

- paquetitos de lechuga -

Ingredientes para 4 personas

12-15 hojas de lechuga
1/2 kg de ricotta o, en su defecto,
de requesón
100 g de puré de tomate
80 g de jamón de York
60 g de mantequilla
60 g de parmesano rallado
30 g de pan rallado
1 huevo
albahaca
sal y pimienta

1. Escalde las hojas de lechuga, ya lavadas, en agua hirviendo. Escúrralas y extiéndalas sobre un paño limpio. Déjelas enfriar.

2-3. Corte el jamón de York en dados pequeños, desmenuce la ricotta en una fuente y trabájela con el huevo, 30 g de parmesano rallado, sal, pimienta y abundante albahaca picada.

4-5. Añada el jamón y mezcle bien los ingredientes. Reparta el relleno entre las hojas de lechuga, forme paquetitos y ciérrelos bien.

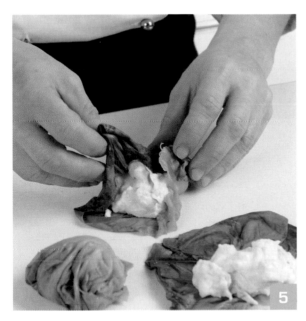

6. Unte una bandeja de hornear con mantequilla, vierta en ella la mitad del puré de tomate y coloque los paquetitos de lechuga.

7-8. Espolvoree los paquetitos con el resto del parmesano rallado, previamente mezclado con el pan rallado. Báñelos con el puré de tomate restante y 30 g de mantequilla derretida, y hornéelos a 190 °C durante 10 min.

● Si lo desea, puede variar el relleno con trozos de mortadela o salchichón, o bien con dados de emmental.

- limpieza del puerro -

1-2. Corte y deseche el extremo del tallo; realice unos cortes a lo largo del puerro y deseche las hojas externas más duras. Córtelo en cilindros. Lávelo para eliminar los posibles residuos de tierra.

3-4. Sobre la superficie de trabajo, corte en rodajas muy finas la parte blanca del puerro. Corte la parte verde en juliana y utilícela como decoración.

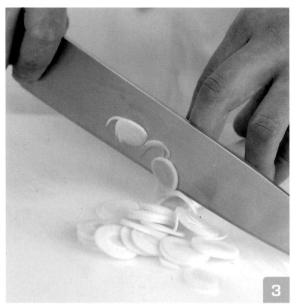

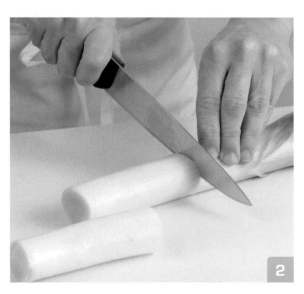

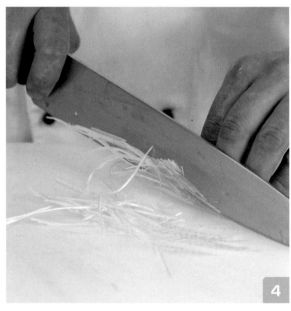

● Corte el puerro solo en el momento de utilizarlo, ya que su pulpa, expuesta al aire, se oxida con mucha facilidad.

- puerros gratinados -

Ingredientes para 4 personas

2 puerros medianos
250 ml de leche
100 g de queso gruyer
3 c de parmesano rallado
nuez moscada
50 g de mantequilla
20 g de harina
sal

1. Lave los puerros, deseche las hojas más externas y córtelos en trozos; escáldelos en agua con sal durante 5 min y escúrralos.

2. Prepare la bechamel: derrita 30 g de mantequilla en un cazo.

3. Añada la harina y dórela removiendo con una cuchara de madera.

4. Cuando la harina esté dorada, vierta la leche y remueva constantemente hasta obtener una crema bastante densa. Aromatice con la nuez moscada.

10

5. Tan pronto como tenga la bechamel lista, añada el queso, previamente cortado en dados. Rectifique de sal.

6-7. Corte los puerros por la mitad a lo largo y colóquelos en una bandeja de hornear ligeramente untada con mantequilla.

8-9-10. Cúbralos con el queso fundido con la bechamel, espolvoree la superficie con el parmesano y hornéelos a 200 °C durante unos 15 min; al finalizar la cocción, gratínelos durante un par de minutos y sírvalos bien calientes.

- limpieza y corte del rábano -

1. Deje los rábanos en agua fría para que estén más crujientes.

2-3. Córtelos por la mitad y corte cada una de ellas en rodajas finas. Deseche la pequeña raíz y utilícelos en ensalada.

4-5. Para usar los rábanos como decoración, realice un corte y seccione con un cuchillo de hoja curva.

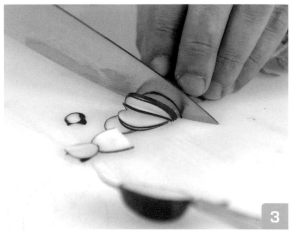

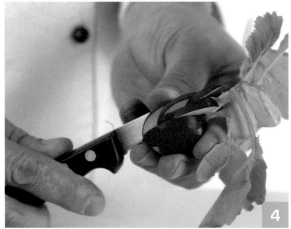

- limpieza del apio -

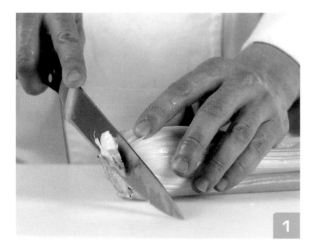

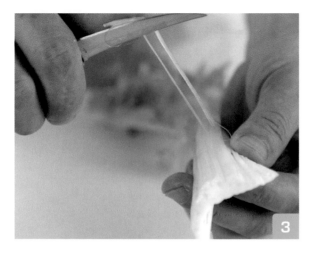

1-2. Pele el apio y deseche la parte final que se encuentra junto a la raíz. Separe después los tallos uno a uno.

3. Con la ayuda de un cuchillo pequeño retire los filamentos blancos.

- cortes de los pepinos -

1-2. Pele los pepinos con un cuchillo adecuado o con un pelapatatas. Para añadirlos a una ensalada, córtelos en rodajas finas con la ayuda de un cuchillo afilado.

3. Para rellenarlos, córtelos en tronquitos y vacíelos utilizando un sacabolas o vaciador. Rellénelos, si lo desea, con queso de cabra.

● El pepino fresco, con independencia de la variedad, es duro al tacto y no tiene partes rugosas. Le recomendamos que lo compre de tamaño pequeño, es decir, joven: los pepinos demasiado maduros y grandes por lo general resultan más bien insípidos y acuosos.

- limpieza y cortes de la cebolla -

1. Pele la cebolla blanca. Córtela por la mitad; corte cada una en rodajas gruesas, y después en rodajas muy finas.

● Para evitar el molesto efecto lacrimógeno de las cebollas, basta conservarlas en el frigorífico o pelarlas en un recipiente con agua fría. Además, si se corta en rodajas finas y se deja en remojo durante 12 h, cambiando el agua a menudo, la cebolla es también muy digerible.

● Para obtener un sofrito ideal, después de cortar la cebolla es fundamental cocerla a fuego medio.

● Es recomendable cortar la cebolla manualmente, con un cuchillo, ya que el calor que produce la batidora eléctrica puede alterar su sabor.

- limpieza de la cebolleta -

1. Corte el extremo inferior de la cebolleta.

2. Practique un corte a lo largo del tallo con un cuchillo afilado.

3. Abra la capa más externa a lo largo del corte y deséchela. Corte la cebolleta por la mitad y después en cuartos.

● La cebolleta es una cebolla que se recolecta en su fase inicial, cuando el bulbo aún está desarrollándose y su sabor es más delicado. Se consume fresca y se conserva mejor en un lugar ventilado y oscuro.

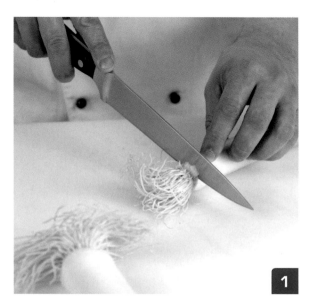

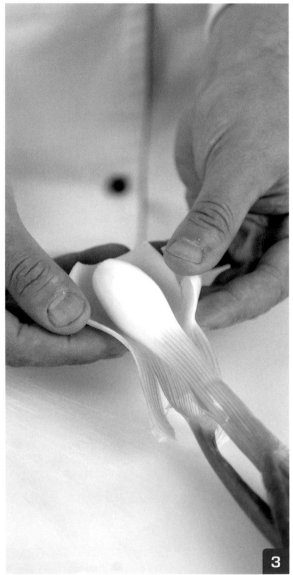

- sopa de cebolla -

Ingredientes para 4 personas

300 g de cebollas, 1 l de agua
35 g de harina de repostería
aceite de oliva virgen extra
160 g de queso emmental,
40 g de parmesano, sal

1-2-3. Corte las cebollas en juliana fina y póngalas en una olla grande con un poco de aceite de oliva. Sofríalas hasta que se reblandezcan. Tueste la harina en una sartén durante unos minutos hasta que adquiera un color ligeramente oscuro. Añada la harina y remueva bien para evitar que se formen grumos. Cubra con agua, sazone con sal y deje cocer durante 1 h, removiendo de vez en cuando.

4. Tras la cocción, vierta la sopa en tazones individuales y agregue unas lonchas finas de queso emmental. Espolvoree la sopa con el parmesano rallado y vierta un chorrito de aceite. Gratínela en el horno durante unos minutos y corone con un chorrito de aceite.

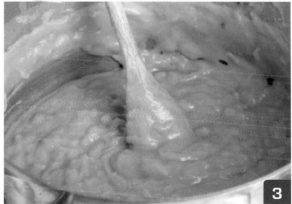

- compota de cebolla -

Ingredientes para 4 personas

400 g de cebollas rojas
120 ml de vino tinto
50 ml de vinagre de vino tinto
25 g de azúcar
20 g de miel
20 ml de vinagre balsámico
aceite de oliva virgen extra
sal

1. Pele las cebollas rojas y deseche la capa más externa.

2. Córtelas por la mitad sobre la superficie de trabajo y, luego, en rodajas muy finas, o ligeramente gruesas, si lo desea.

3-4. En un cazo, vierta el aceite de oliva y déjelo calentar un poco. Añada las cebollas y remueva. Agregue el azúcar y el vino tinto.

5. Incorpore el vinagre de vino, la sal y la miel. Deje cocer durante 2 h a fuego lento removiendo de vez en cuando, hasta que se deshagan las cebollas.

6. Al final de la cocción, incorpore el vinagre balsámico para conferirle una nota de acidez.

7. Introduzca la compota en un tarro esterilizado, ciérrelo herméticamente y dele la vuelta; ponga agua fría en un cazo y cueza la compota en el tarro durante 10 min.

● Puede aromatizar la compota de cebollas rojas añadiendo a los ingredientes hierbas aromáticas como, por ejemplo, romero picado fino o especias, como semillas de vainilla.

- cebollas agridulces -

Ingredientes para 4 personas

1/2 kg de cebollitas peladas
2 c de aceite de oliva virgen extra
1 c de perejil
2 c de vinagre de vino blanco
1 c de azúcar
1 c de salsa de soja
sal

1. En un cazo, caliente el aceite, ponga las cebollitas, sálelas y saltéelas durante unos minutos a fuego medio.

2. Cúbralas apenas de agua y déjelas cocer, tapadas y a fuego lento, durante unos 25-30 min.

3-4-5. Una vez transcurrido este tiempo, añada el azúcar, el vinagre y la salsa de soja. Deje cocer durante 5 min más.

6-7. Espolvoree las cebollitas con el perejil picado, y sírvalas.

5

7

6

● Puede servir las cebollitas para acompañar entremeses de embutidos variados, segundos platos de carne (ideal con los cocidos) o quesos.

- corte y salado de las berenjenas -

1-2. Corte y deseche los dos extremos de las berenjenas y lávelas. Córtelas por la mitad y practique unos cortes transversales en la pulpa.

3. Coloque las berenjenas sobre una bandeja y esparza sal gruesa por encima de las mismas. Deje que pierdan el agua de vegetación durante al menos 1 h, aclárelas, séquelas ligeramente con papel de cocina y cocínelas a su gusto.

4-5-6. O bien, córtelas en rodajas de 1/2 cm aprox, póngalas en un colador y sálelas. Deje que se escurran y séquelas ligeramente con papel de cocina antes de utilizarlas.

5

4

● Si no se salan las berenjenas (hay quien prefiere el sabor más picante de las berenjenas «al natural»), una buena práctica es rociarlas con un poco de zumo de limón, para evitar que ennegrezcan.

6

- salsa para pasta *alla Norma* -

Ingredientes para 4 personas

1 kg de tomates
4 berenjenas, 150 g de ricotta con sal
1 cebolla grande
320 g de pasta seca (a su gusto)
aceite de oliva virgen extra
albahaca, sal y pimienta

1-2. Lave las berenjenas y córtelas en dados; sazónelas con sal y póngalas en un colador, con un peso encima. Déjelas en esta posición durante al menos 40 min: de este modo, perderán su sabor amargo. Aclárelas bien y déjelas secar durante unos minutos sobre un paño. Lave los tomates, pélelos y trocéelos; corte la cebolla fina.

3. En una sartén grande, fría las berenjenas en aceite hirviendo y séquelas con papel absorbente.

4. En otra sartén, sofría la cebolla en aceite; cuando esté dorada, añada los tomates, salpimiente y deje espesar. Incorpore después las berenjenas fritas.

5-6. Hierva la pasta en agua con sal, escúrrala unos minutos antes de finalizar la cocción y saltéela en la sartén con la salsa de tomate y las berenjenas. Antes de servir, agregue la ricotta rallada y albahaca.

● También puede servir la pasta acompañada de rodajas de berenjena fritas, que añadirá antes de servir el plato.

- berenjenas a la parmesana -

Ingredientes para 6 personas

1 kg de berenjenas
120 g de parmesano rallado
800 g de pulpa de tomate
200 g de mozzarella
albahaca, harina de repostería
aceite de semillas para freír, sal

1. Corte las berenjenas en rodajas, enharíne-las y fríalas en aceite hirviendo; escúrralas des-pués en papel absorbente.

2. Reparta unas cucharadas de pulpa de toma-te sobre el fondo de una bandeja de hornear.

3-4. Cubra con una capa de berenjenas, repar-ta un poco más de tomate y disponga encima una capa de mozzarella cortada en rodajas.

5-6. Añada el parmesano rallado y unas hojas de albahaca. Alterne las capas hasta termi-nar los ingredientes. Hornee a 180 °C durante 30 min. Retire las berenjenas del horno y sírva-las bien calientes.

● Para que esta preparación sea más ligera, puede utilizar como base berenjenas asadas sobre una plancha rayada de hierro fundido y aliñadas con aceite, sal y pimienta.

- caponata de berenjenas -

Ingredientes para 4 personas

3 berenjenas
2 tallos de apio
1 cebolla
150 g de aceitunas verdes sin hueso
3 c de alcaparras en vinagre o con sal
350 ml de salsa de tomate
25 ml de vinagre
1 cc de azúcar
aceite de semillas para freír
aceite de oliva virgen extra
sal y pimienta

1. Lave las berenjenas, deseche los extremos y córtelas en dados más bien gruesos.

2. Fríalas en aceite de semillas hirviendo y escúrralas en papel absorbente.

3. Limpie el apio y deseche todas las hojas verdes, trocéelo y hiérvalo en agua con sal durante unos pocos minutos. En una sartén grande, sofría en aceite de oliva la cebolla cortada en rodajas.

● La caponata, una especialidad siciliana, por lo general se degusta fría, como entremés. Se puede conservar en el frigorífico, bien tapada, durante 3 días y se debe servir a temperatura ambiente.

4-5-6. En cuanto la cebolla esté dorada, añada el apio, las aceitunas sin hueso y troceadas, las alcaparras en vinagre y la salsa de tomate. Rectifique de sal y deje cocer durante unos 20 min.

7. Antes de finalizar la cocción, agregue las berenjenas fritas a la sartén.

8-9-10. Derrita el azúcar en el vinagre y viértalo en la sartén. Remueva y riegue. Sirva la caponata tibia como entremés o guarnición.

10

- pimientos estofados -

Ingredientes para 4 personas

800 g de pimientos
2 filetes de anchoas en aceite
1 diente de ajo, 1/2 cebolla
400 g de tomates pelados
aceite de oliva virgen extra, albahaca, sal

1. Lave los pimientos, córtelos por la mitad a lo largo y, con la ayuda de un cuchillo pequeño, deseche las semillas y los filamentos internos. Trocéelos con un cuchillo afilado de hoja lisa.

2-3-4. Corte la cebolla muy fina y sofríala con el diente de ajo en aceite de oliva. Añada las anchoas y deje que se deshagan a fuego muy lento; incorpore los pimientos troceados. Agregue los tomates pelados, ligeramente chafados con una cuchara de madera, y la albahaca. Cubra con agua y deje cocer tapado a fuego medio durante 1 h aprox, removiendo de vez en cuando.

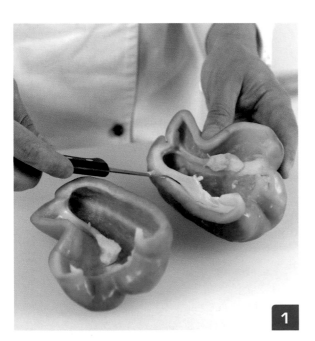

● Existen distintas variantes de este plato; en una de ellas se añaden los pimientos a la sartén ya asados en el horno, pelados y troceados.

- salsa roja -

Ingredientes para 4 personas

800 g de pimientos rojos dulces
1 diente de ajo
5 g de concentrado de tomate
2 anchoas en sal
40 ml de vinagre de vino tinto
30 g de azúcar
aceite de oliva virgen extra

1. Dore en una sartén el ajo con el aceite, añada las anchoas y deje que se deshagan. Agregue los pimientos bien lavados y troceados, y deje que se doren.

2-3. Añada a la sartén el azúcar y el concentrado de tomate. Riegue con el vinagre y deje cocer tapado durante unos 20 min.

4. Al finalizar la cocción, retire del fuego y deje entibiar. Bata la salsa con la batidora eléctrica.

● Esta salsa a base de pimientos es ideal para acompañar segundos platos de carne, en particular los cocidos mixtos.

- rollitos de pimientos al horno -

Ingredientes para 4 personas

1 pimiento rojo
1 pimiento amarillo
1 anchoa en sal
1 diente de ajo
2 c de alcaparras
200 g de mozzarella
5-6 c de pan rallado
albahaca, perejil
aceite de oliva virgen extra, sal y pimienta

● Para variar el relleno, triture 200 g de caballa en conserva escurrida, 10 aceitunas verdes sin hueso y 1 c de alcaparras desaladas, y sazone con 1 c de mayonesa, albahaca, tomillo, sal y pimienta. Hornee a 180 °C durante 10 min.

1. Lave y seque los pimientos; colóquelos en una bandeja y hornéelos a 250 °C durante 20-25 min. Deles la vuelta por todos los lados hasta que la piel se arrugue. Retírelos del horno, introdúzcalos en una bolsa de papel y déjelos reposar («sudar») durante unos minutos: de este modo será más fácil pelarlos.

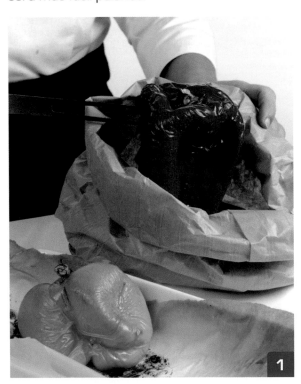

2. Mientras tanto, prepare el relleno mezclando en una fuente el pan rallado, la anchoa, desalada y sin espinas, un picadillo de ajo, alcaparras, albahaca y perejil, una pizca de sal y de pimienta, y aceite.

3. Retire las semillas de los pepinos y córtelos en tiras gruesas; reparta sobre ellas el relleno obtenido y dados de mozzarella.

4. Enrolle las tiras para darles la forma de rollitos, que colocará cuidadosamente en una bandeja de hornear untada con aceite.

5. Hornee a 200 °C durante 10 min. Rocíe los rollitos con un chorrito de aceite de oliva virgen extra y sírvalos calientes.

5

4

● Con los mismos ingredientes puede preparar pimientos rellenos: vacíe los pimientos y retíreles el pedúnculo y los filamentos internos; rellénelos después con los ingredientes indicados para el relleno, triturados, y hornéelos a 200 °C durante unos 30 min.

- pimientos rellenos de carne -

Ingredientes para 4 personas

8 pimientos verdes largos
200 g de carne picada de buey y cerdo
1 panecillo, leche
1 huevo
perejil
aceite de oliva virgen extra
1 diente de ajo
250 g de pulpa de tomates pelados
sal y pimienta

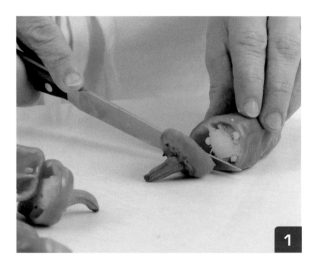

1-2-3. Lave los pimientos, córteles la parte superior y resérvela. Deseche las semillas blancas del interior.

4. Para el relleno, mezcle la carne picada, la miga del panecillo, previamente remojada en leche, el huevo, el perejil, un chorrito de aceite, sal y pimienta.

5. Rellene los pimientos con la mezcla a base de carne y ciérrelos con los trozos que ha reservado y con la ayuda de un palillo.

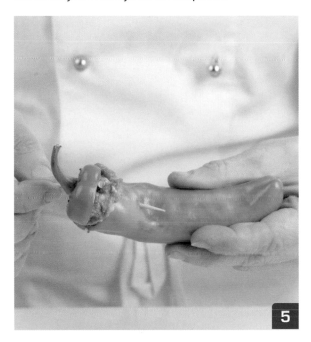

6-7. En una sartén, sofría el ajo con el aceite, añada el tomate y sazone con sal. Incorpore los pimientos y cuézalos durante 30 min, dándoles la vuelta y rociándolos con agua de vez en cuando.

8. Sírvalos bien calientes, acompañados del jugo de cocción.

- limpieza de los tomates -

1. Retire el pedúnculo de los tomates después de lavarlos bien, practique dos cortes en forma de cruz y escáldelos en agua hirviendo con sal.

2. Escúrralos con una espumadera y póngalos en agua con hielo.

3-4. Córtelos en cuñas, pélelos con un cuchillo pequeño y córtelos en rodajas finas o en dados.

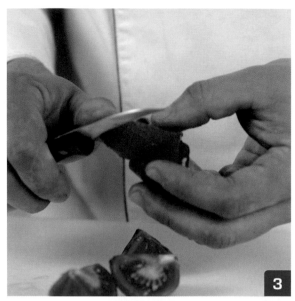

● Los tomates no deben permanecer en el agua hirviendo durante más de 8-10 segundos. Si no se pelan bien, repita la operación.

- tomatitos confitados -

Ingredientes para 4 personas

600 g de tomates cherry
1 c de azúcar, 2 dientes de ajo
aceite de oliva virgen extra
tomillo, sal y pimienta blanca

1-2. Corte los tomates cherry por la mitad con la ayuda de un cuchillo afilado. Dispóngalos en una bandeja y esparza por encima hojas de tomillo.

3-4. Añada el ajo cortado en láminas finas. Aliñe con un chorrito de aceite, sal, pimienta y el azúcar. Tornee a 100 °C durante 90 min; retire los tomates del horno.

- tomates pelados -

1-2-3. Lave los tomates y escáldelos. Escúrralos y pélelos.

4-5. Córtelos por la mitad y retire la pulpa y las semillas. Déjelos escurrir durante 10 min e introdúzcalos en unos tarros de cristal sin añadir nada más.

6. Ponga los tarros, cerrados herméticamente, al baño María durante unos 40 min; si pone más de uno a la vez, protéjalos envolviéndolos con un paño para que no choquen entre sí. Deje enfriar los tarros directamente en el agua del baño María durante una noche para completar el proceso de esterilización.

● Si lo desea, puede añadir unas hojas de albahaca fresca en los tarros antes de cerrarlos.

● Elija siempre tomates maduros, pero duros y sin magulladuras.

● Conserve los tomates pelados en tarros en un lugar oscuro y consúmalos antes de 1 año desde la fecha de elaboración.

- gazpacho -

Ingredientes para 4 personas

600 g de tomates
1 pimiento rojo
1 cebolleta
1 tallo de apio, 1 pepino
50 g de pan de payés blanco
4 c de aceite de oliva virgen extra
1 gota de tabasco
3 gotas de salsa Worcester
2 c de vinagre de vino blanco
sal y pimienta

1-2. Remoje el pan, sin corteza, con 1/2 vaso de agua y vinagre, y deje que se empape. En una batidora de vaso, introduzca las verduras, cortadas en trozos gruesos (pimiento, tomate, cebolleta y pepino).

3-4. Añada también el aceite de oliva, el tabasco, la salsa Worcester, una pizca de sal y de pimienta, y, por último, el pan, después de escurrirlo.

● Puede servir esta tradicional sopa de verduras fría, de origen andaluz, con rebanadas de pan de payés, previamente tostado en el horno o en una sartén antiadherente.

● También puede presentar la sopa como aperitivo, servida en copas o vasos con hielo.

● Se recomienda consumir el gazpacho en poco tiempo, ya que las verduras, una vez batidas, tienden a oxidarse y pierden sus importantes propiedades nutritivas.

5. Bata la mezcla hasta obtener una crema más bien densa y homogénea.

6. Sirva el gazpacho con rodajas de apio, cortadas muy finas con la ayuda de un cuchillo, y con un chorrito de aceite de oliva virgen extra.

- confitura de tomate -

Ingredientes para 2 tarros de 400 g

1 kg de tomates rojos redondos y duros
800 g de azúcar
2 limones no tratados

1. Pele los tomates retirando solo la piel externa: si le resulta difícil, puede escaldarlos durante 5 segundos y pelarlos después con más facilidad (véase p. 106).

2. Corte los tomates por la mitad, retire toda el agua y las semillas del interior, córtelos en cuñas y viértalos en una fuente. Cubra con el azúcar y la corteza rallada de 1 limón, y remueva bien.

3. Ponga los tomates en un cazo, rocíelos con el zumo de los 2 limones y caliéntelos. Remueva a menudo hasta que la mezcla hierva ligeramente; baje el fuego y deje cocer durante 90 min, removiendo hasta obtener una mezcla melosa pero no demasiado densa. Vierta la confitura en los tarros y déjela enfriar; cúbrala, en cada tarro, con un disco de papel sulfurizado empapado en alcohol por ambos lados. Cierre los tarros herméticamente y consérvelos en un lugar fresco y oscuro.

● Puede utilizar la confitura para acompañar quesos frescos o de pasta hilada (como la mozzarella) o asados de carne blanca.

- strudel con tomate -

Ingredientes

250 g de masa de hojaldre
4 filetes de anchoa en sal
1 cc de orégano
200 g de queso provolone
200 g de tomates
50 g de aceitunas verdes sin hueso
25 g de alcaparras

1. Corte las aceitunas en trozos gruesos junto con las alcaparras y las anchoas, desaladas y sin espinas. Aparte, pele los tomates (para facilitar la operación, practique un corte en forma de cruz en el fondo y escáldelos 30 segundos) y corte la pulpa en dados.

2. Estire la masa bien fina y cúbrala por completo con rodajas de provolone.

3-4. Esparza sobre la masa los tomates y el picadillo de alcaparras, anchoas y aceitunas; espolvoree con el orégano. Enrolle la masa y ciérrela por los bordes con cuidado. Coloque el rollo en una bandeja recubierta con papel sulfurizado y hornéelo a 190 °C durante unos 30 min. Retire el strudel del horno, déjelo entibiar y sírvalo cortado en rodajas.

- tomates rellenos -

Ingredientes para 4 personas

8 tomates, 4 rebanadas de pan
250 g de mozzarella, 6 anchoas en aceite
aceite de oliva virgen extra

1-2. Corte la parte superior de los tomates y vacíelos para que no quede pulpa y ni semillas. Sazone con sal el interior y colóquelos al revés sobre papel absorbente; déjelos escurrir durante unos 30 min. Mientras, corte el pan en dados y tuéstelo en el horno.

3-4-5. Prepare dos tipos de relleno: uno con el pan tostado, la mozzarella cortada en dados y las anchoas escurridas y troceadas, y el otro con los ingredientes que se indican en el recuadro de esta misma página. Aliñe con aceite. Rellene los tomates, rocíelos con un chorrito de aceite y hornéelos durante 10-15 min.

● Puede preparar un relleno a base de atún, arroz hervido, alcaparras y albahaca. En este caso, no será necesaria la cocción.

5

- limpieza y corte de los calabacines -

1-2. Pele los calabacines y retire los extremos con un cuchillo. Córtelos por la mitad a lo largo y retire la parte central, ya que está llena de semillas.

3. O bien, si desea preparar unos calabacines rellenos, córtelos en 3 cilindros, escáldelos durante 3 min y vacíelos con un descorazonador o un cuchillo.

4. Rellénelos a su gusto (en la fotografía aparece un relleno a base de queso fresco y hierbas aromáticas) con la ayuda de una manga pastelera. Hornéelos durante 10 min a 160 °C.

● Elija preferiblemente calabacines pequeños y finos, reconocibles por su ligera pelusa, ya que no contienen semillas.

- limpieza de las flores de calabacín -

1. Corte la flor del calabacín con la ayuda de un cuchillo.

2. Abra delicadamente la flor, pero tenga cuidado de no romperla.

3. Deseche el pistilo del interior. Las flores de calabacín son ideales pasadas por una pasta para rebozar a base de agua y harina, y fritas, rellenas de ricotta o de mozzarella y anchoas (véase pp. 126-127).

- calabacines y flores de calabacín rebozados -

Ingredientes para 4 personas

4 calabacines
12 flores de calabacín
1 vaso de harina de repostería, 1 huevo
1 vaso de agua con gas muy fría
aceite de semillas de cacahuete

1-2. Corte los calabacines en rodajas no demasiado finas a lo largo y, después, en tiras finas.

3-4. Prepare la pasta de rebozar mezclando el huevo batido con el agua con gas muy fría. Añada la harina e incorpore hasta obtener una pasta homogénea y pegajosa.

5-6. Pase las flores de calabacín y los calabacines por la pasta de rebozar; escurra el exceso de pasta y fríalos en una sartén en abundante aceite de semillas.

7. Escurra las flores de calabacín y los calabacines en papel absorbente, sazónelos con una pizca de sal y sírvalos bien calientes.

● Las flores se pueden lavar con un poco de agua fría, ya que son muy delicadas. También se pueden limpiar con los dedos y abrirlas con cuidado para comprobar que no haya insectos o tierra en su interior.

- pastel salado de calabacín -

Ingredientes para 6 personas

180 g de harina de repostería
3 calabacines
100 g de panceta en dados
150 g de ricotta o, en su defecto,
de requesón
50 g de queso de oveja
50 g de parmesano
1 cebolleta
3 huevos
100 ml de aceite de semillas de girasol
100 ml de leche
1 sobre de levadura en polvo
cebollino
10 g de sal

1-2-3. Corte los calabacines en dados y saltéelos en la sartén con la cebolleta. A media cocción, añada la panceta y cueza durante 10 min. Al finalizar la cocción, agregue un picadillo de cebollino.

4-5-6. Aparte, bata los huevos con la leche y el aceite; añada la harina, sal, la levadura y los quesos, y mézclelo todo bien.

7. Incorpore los calabacines y la panceta, y remueva bien.

8-9-10. Vierta la preparación en un molde de plum cake recubierto con papel sulfurizado. Hornee a 190 °C durante unos 45 min. Sírvalo tibio o frío.

- crema de calabacín -

Ingredientes para 4 personas

5 calabacines
1 patata, 1 cebolla
4 rebanadas de pan de payés
aceite de oliva virgen extra, sal

1-2. Corte la cebolla fina, y las patatas y los calabacines en dados.

3. Cueza los calabacines y la cebolla en un cazo con 300 ml de agua; añada la patata, sazone con sal y deje cocer.

4-5. Bata las verduras con una batidora de inmersión y, sin dejar de batir, vierta el aceite para emulsionar.

6-7. Sirva la crema con picatostes de pan de payés tostado, y corone con un chorrito de aceite de oliva virgen extra.

● Para servir la crema de calabacín, puede coronarla con unas tiras de panceta ligeramente doradas en una sartén antiadherente.

- calabacines rellenos -

Ingredientes para 4 personas

4 calabacines grandes
100 g de pan rallado
1 yema de huevo
aceite de oliva virgen extra
150 ml de leche
orégano, sal y pimienta

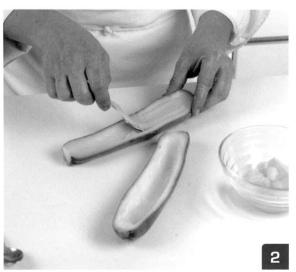

1-2. Corte los calabacines por la mitad a lo largo, vacíelos con la ayuda de un cuchillo o una cucharilla y reserve la pulpa. Cuézalos al vapor durante 5 min.

3-4-5. En un cazo, dore el pan rallado en aceite y añada la leche. Retire el cazo del fuego y deje que se enfríe. En una fuente, mezcle la preparación de pan rallado con la pulpa de los calabacines, cortada muy fina.

6. Añada las yemas de huevo, unas hojas de orégano, sal y pimienta; incorpore todo bien y rellene en seguida los calabacines con esta preparación.

7-8. Vierta un chorrito de aceite sobre los calabacines, rocíe el fondo de la bandeja de hornear con un poco de agua y hornéelos a 180 °C durante 25 min. Sírvalos calientes.

- flores de calabacín rellenas -

Ingredientes para 4 personas

16 flores de calabacín
3 patatas, 6 anchoas en aceite
2 c de alcaparras
100 g de emmental
2 c de parmesano
2 rebanadas de pan de molde
aceite de oliva virgen extra, sal

1-2. Hierva las patatas durante media hora, pélelas y cháfelas. Añada un puñado de alcaparras y las anchoas, cortadas muy finas.

● Puede variar el relleno de las flores de calabacín con una mezcla a base de ricotta fresca, hierbas aromáticas y parmesano, o bien mozzarella y 1 filete de anchoa, o trozos de lenguado, si lo desea, pasados por trufa negra picada.

3. Ralle el emmental con un rallador de orificios grandes e incorpórelo a la mezcla de patatas. Rectifique de sabor.

4. Limpie las flores de calabacín, como se describe en la p. 117, y deseche los pistilos del interior. Rellénelas con cuidado con la mezcla preparada y dispóngalas en una bandeja cubierta con papel sulfurizado.

5-6. Triture el pan de molde junto con el parmesano con la batidora, reparta la preparación obtenida sobre las flores y corone con un chorrito de aceite de oliva y una pizca de sal. Hornee las flores a 200 °C durante 8 min. Retírelas del horno y sírvalas bien calientes.

● También puede cocer las flores rellenas al vapor durante 8 min, en ese caso sin picadillo de pan y queso, o freírlas después de pasarlas por una pasta de rebozar a base de huevo y harina.

- puré de remolacha -

Ingredientes para 4 personas

1 remolacha cocida
1 cebolla
4 c de vinagre de vino tinto
40 g de mantequilla
sal y pimienta

1-2-3. Pele la remolacha, córtela en rodajas y, después, en dados.

4. Póngala en un cazo, en el que habrá sofrito la cebolla cortada muy fina en 20 g de mantequilla.

5. Añada el vinagre y deje cocer durante unos 20 min a fuego lento.

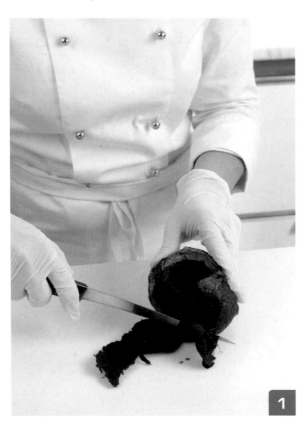

6. Al finalizar la cocción, agregue la mantequilla restante y salpimiente.

7-8. Con la ayuda de una batidora eléctrica, bata la mezcla hasta obtener un puré.

● Puede utilizar el puré de remolacha como guarnición, para acompañar segundos platos de carne.

- mantequilla de remolacha -

Ingredientes para 1 barra de mantequilla

150 g de puré de remolacha (véase p. 128)
200 g de mantequilla
1 limón
sal y pimienta

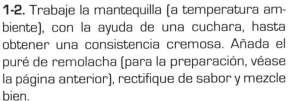

1-2. Trabaje la mantequilla (a temperatura ambiente), con la ayuda de una cuchara, hasta obtener una consistencia cremosa. Añada el puré de remolacha (para la preparación, véase la página anterior), rectifique de sabor y mezcle bien.

3-4. Vierta en la preparación obtenida el zumo del limón exprimido y remueva; ponga la crema en una hoja de papel sulfurizado.

5. Envuelva la mantequilla en el papel sulfurizado y consérvela en el frigorífico durante al menos 1 h.

6. Una vez transcurrido el tiempo de reposo, corte el cilindro de mantequilla en rodajas y utilícelo como condimento de filetes de pescado o carnes blancas.

● Puede aromatizar la mantequilla de múltiples maneras. Pruebe, por ejemplo, con pimienta rosa molida, con una pizca de guindilla, con hierbas aromáticas (es ideal con perejil, tomillo, albahaca y cebollino) o con las especias más variadas.

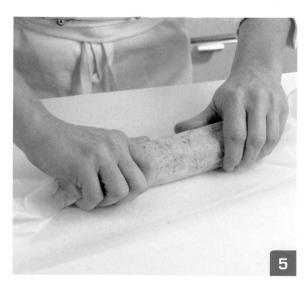

- limpieza de las setas -

1. Corte y deseche el extremo del pie terroso de las setas con la ayuda de un cuchillo pequeño de hoja lisa.

2. Retire la piel del sombrero de las setas con un cuchillo pequeño afilado de hoja curva.

3. Corte el sombrero y los tallos de las setas en rodajas finas.

● Evite lavar las setas directamente bajo el grifo; si tienen tierra, es mejor limpiarlas delicadamente con papel de cocina húmedo o con un cepillo adecuado.

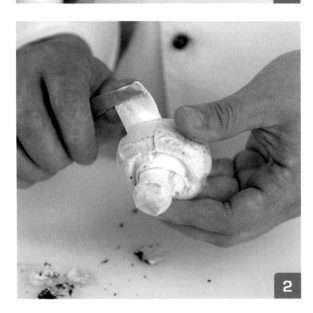

- crêpes de setas -

Ingredientes para 4 personas

125 g de harina de repostería
200 ml de leche, 2 huevos
1 c de aceite de oliva virgen extra,
parmesano
mantequilla, 1/2 cc de sal

para las setas

200 g de champiñones
250 ml de bechamel
1 c de perejil
3 c de aceite de oliva virgen extra
1 diente de ajo, sal y pimienta

2-3-4. Limpie las setas y córtelas en láminas. En una cacerola, sofría el aceite, el ajo y el perejil picado. Añada las setas y saltéelas durante 15 min. Rectifique de sal y pimienta, e incorpore la bechamel. Rellene las crêpes con esta salsa y dóblelas dos veces. Coloque las crêpes en una bandeja de hornear untada con mantequilla, y esparza parmesano rallado y copitos de mantequilla. Gratínelas en el horno durante 10 min a 180 °C y sírvalas.

1. En una fuente, vierta los huevos, la harina, el aceite y la sal; diluya la mezcla con la leche, vertida en forma de hilo. Caliente una sartén antiadherente y derrita un poco de mantequilla; ponga en ella un cucharón de pasta y cueza una crêpe; dele la vuelta cuando se desprenda fácilmente del fondo. Cueza todas las crêpes de este modo; no se olvide de untar cada vez la sartén.

● Para la bechamel, derrita 30 g de mantequilla y mézclela con 25 g de harina y 250 ml de leche hirviendo; añada 4 c de parmesano y 1 c de perejil; rectifique de sal y pimienta, y deje espesar a fuego lento sin dejar de remover.

- limpieza y cortes de las patatas -

1. Corte y deseche los extremos de las patatas. Retire la piel con un pelapatatas.

Las imágenes muestran los distintos cortes de las patatas:

2. Patatas ligeramente torneadas con un cuchillo: ideales para hervir.

3. Patatas en brunoise: especialmente pensadas para condimentos.

4. Patatas en dados: ideales para la ensaladilla rusa.

5. Patatas bastón: especialmente indicadas para freír.

6. Patatas paja: muy adecuadas para freír y decorar platos. Y, encima de estas últimas, las patatas en rodajas finas: para freír, para hacer las patatas chips o para utilizar en las preparaciones con costra.

La patata compacta tiene un alto contenido en líquidos y poco almidón: es la más adecuada para preparaciones en las que el tubérculo debe mantener su forma sin deshacerse. Así pues, es perfecta para hervir, saltear o para utilizar en ensaladas. La patata harinosa, en cambio, tiene un mayor porcentaje de almidón. Es ideal para purés y cremas. Ambas variedades son óptimas para freír.

- puré de patata -

Ingredientes para 4 personas

1 kg de patatas
80 g de mantequilla
300 ml de leche
nuez moscada
sal

1. Ponga en una olla agua fría con sal y hierva las patatas (preferiblemente harinosas); escúrralas y pélelas; páselas por el pasapurés y viértalas en un cazo.

2. Añada a las patatas la mantequilla en trozos y la leche. Ralle por encima la nuez moscada y sazone con sal.

3. Cueza durante 10 min a fuego lento, sin dejar de remover con una cuchara de madera.

● Para obtener las patatas duquesa, mezcle 1 kg de patatas hervidas y chafadas con 2 yemas de huevo, 70 g de parmesano, pimienta y sal, y remueva bien. Ponga la mezcla de patatas en una manga pastelera y distribuya con ella bolitas en una bandeja de hornear untada con mantequilla. Pinte los extremos de las patatas con huevo batido y hornéelas a 170 °C durante 20 min.

- croquetas de patatas -

Ingredientes para 4 personas

600 g de patatas
2 yemas, 1 huevo
100 g de parmesano
pan rallado, nuez moscada
aceite de oliva virgen extra, sal

1. Hierva las patatas en una olla con agua fría y sal, escúrralas y cháfelas. Vierta en una fuente las yemas de huevo, el parmesano, nucz moscada y sal, y mezcle bien. Añada las patatas chafadas y mézclelo todo bien.

2. Tome una bolita de la preparación, amásela con la palma de la mano para darle forma de croqueta y pásela después por la harina.

3. Pase las croquetas primero por el huevo batido y después por el pan rallado, y deslícelas sobre la superficie de trabajo para que adquieran una forma cilíndrica.

4. Fríalas en abundante aceite de oliva virgen extra.

- ñoquis de patata -

Ingredientes para 1,5 kg de masa

1 kg de patatas
100 g de parmesano
250 g de harina de repostería
1 huevo, nuez moscada, sal

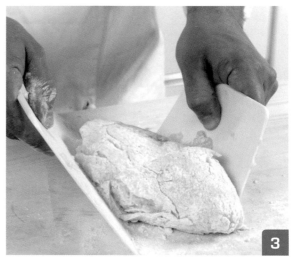

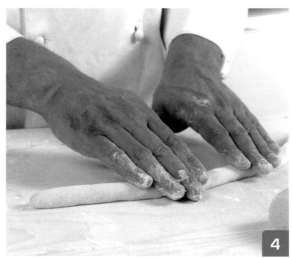

1-2. Pele las patatas hervidas y tritúrelas con la ayuda de un pasapurés. Añada el huevo, el parmesano, la harina, la nuez moscada y la sal.

3. Amase con la ayuda de unas palas y, cuando la preparación adquiera consistencia, vuelva a mezclar bien.

4. Con pequeñas porciones de masa, forme tiras sobre la superficie de trabajo enharinada.

5

8

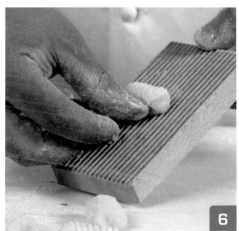

6

9

7

5-6. Córtelas en porciones de 1 cm de longitud aprox. Marque las clásicas rayas de los ñoquis con un tenedor, con una tabla rayada especial o con el rallador colocado del revés.

7. Con los mismos ingredientes de la masa de los ñoquis puede elaborar unos ñoquis rellenos de pimiento. Corte una tira de masa y extiéndala sobre la superficie de trabajo enharinada. En el centro, ponga tiras de pimiento escaldadas. Enrolle la tira de pasta rellena sobre sí misma.

8-9. Forme un cilindro y córtelo en trozos para obtener los ñoquis. Con la ayuda de un tenedor, marque las clásicas rayas de los ñoquis.

- tortilla de patatas y cebolla -

Ingredientes para 4 personas

600 g de patatas, 2 cebollas
1/4 de pimiento verde, 3 huevos
aceite de oliva virgen extra, sal y pimienta

1. Pele las cebollas y córtelas en rodajas. Pele también las patatas y córtelas en rodajas de unos 4 cm de grosor. Corte el pimiento en trozos. Caliente 6 c de aceite en una sartén antiadherente.

2-3-4. Cuando el aceite esté bien caliente, disponga las patatas y las cebollas en la sartén por capas, empezando por las patatas y terminando con unos trozos de pimiento. Tape la sartén y cueza a fuego lento. Controle la cocción a menudo y dé la vuelta a las patatas. Retire la sartén del fuego cuando las patatas estén cocidas pero no doradas.

5-6. Una vez finalizada la cocción, escurra el aceite y reserve 1 c aprox. Bata los huevos, salpimiéntelos, e incorpore las cebollas, los pimientos y las patatas. Presione ligeramente con una cuchara para cubrir las verduras completamente con los huevos.

7-8-9. En la misma sartén que ha utilizado antes, caliente el aceite que ha reservado y ponga la preparación con los huevos. Nivele bien la tortilla, baje el fuego, tape la sartén y deje cocer. Prosiga la cocción hasta que los huevos estén bien cocidos. Sirva la tortilla cortada en porciones, caliente o fría.

- limpieza de la calabaza -

1. Corte la calabaza por la mitad a lo largo con un cuchillo grande, apoyándola sobre la superficie de trabajo.

2. Con la ayuda de una cuchara, retire las pipas del interior de la calabaza.

3. Córtela en rodajas y pélelas con un cuchillo afilado de hoja lisa.

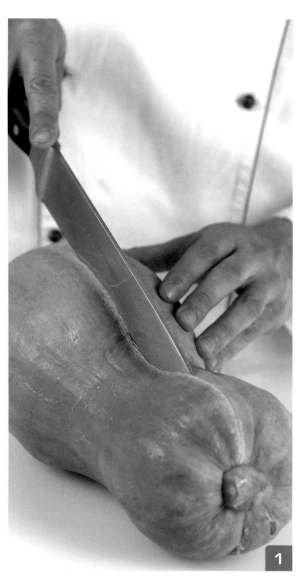

Si la calabaza es ecológica, puede utilizar la piel, cortada en tiras finas y frita: es sabrosa y rica en fibras y sales minerales.

- compota dulce de calabaza -

Ingredientes para 2 tarros de 400 g

1,5 kg de calabaza, 700 g de azúcar
1 limón no tratado, ron oscuro

1-2. Pele la calabaza y deseche la piel, las pipas y los filamentos internos; corte la pulpa en
dados.

3-4. Vierta los dados de calabaza en un cuenco, añada el azúcar, la corteza de limón rallada
y el zumo de limón. Remueva los ingredientes y
viértalos en un cazo de fondo grueso. Cubra por
completo con agua y cueza hasta que el líquido
se evapore del todo. Baje el fuego y deje cocer
durante 1 h aprox, removiendo a menudo para
evitar que la calabaza se adhiera al fondo. Mezcle a la confitura 1 copita de ron, remueva bien
y envásela en 2 tarros de 400 g. Cuando se
enfríe, cubra la compota con un disco de papel
de hornear ompapado de ron por ambos lados
y cierre herméticamente los tarros.

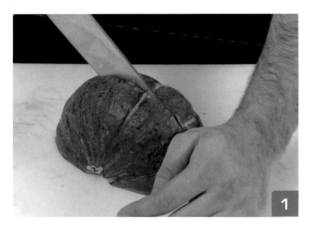

● Conserve la compota dulce de calabaza en la despensa, en un lugar fresco y
protegido de la luz del sol.

- crema de calabaza -

Ingredientes para 6 personas

800 g de pulpa de calabaza
1 patata, 100 ml de leche
1/2 cebolla, 40 g de parmesano rallado
1,5 l de caldo vegetal
50 g de mantequilla
4 rebanadas de pan de molde
aceite de oliva virgen extra, sal y pimienta

1. Limpie la calabaza y córtela en dados; haga lo mismo con la patata y corte la cebolla en rodajas.

2. Dore las verduras en un cazo con 3 c aceite, añada el caldo caliente y cueza durante unos 20 min.

3-4. Cuando las verduras estén bien cocidas, bátalas hasta obtener una crema; agregue después la leche y rectifique de sal y pimienta.

5. Lleve la crema a ebullición e incorpore el parmesano rallado y la mitad de la mantequilla.

6. Sirva la crema con el pan de molde, cortado en dados, y dorado en la sartén con el resto de mantequilla.

● La dulzura de la pulpa indica la madurez de la calabaza. Por otro lado, la calabaza se conserva durante semanas, pero, una vez cortada, se debe consumir en pocos días.

- ñoquis de calabaza -

Ingredientes para 6 personas

700 g de calabaza, 350 g de patatas
160 g de harina de repostería, 1 huevo
2 c de parmesano
nuez moscada, mantequilla, salvia, sal
y pimienta

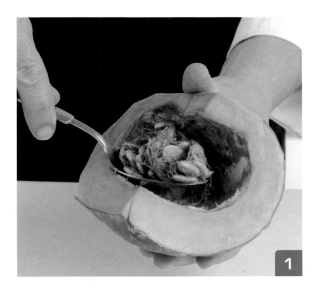

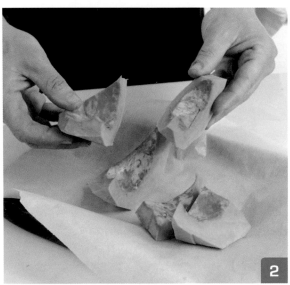

1-2. Hierva las patatas en agua con sal y déjelas enfriar. Limpie la calabaza, corte la pulpa en trozos grandes, póngalos en una bandeja cubierta de papel sulfurizado y hornee a 180 °C durante unos 30 min.

3-4-5. Pase la calabaza y las patatas por el pasapurés. Mezcle los dos purés y añada la harina, el parmesano, el huevo, la nuez moscada, la sal y la pimienta. Amase hasta que la preparación esté lisa y homogénea.

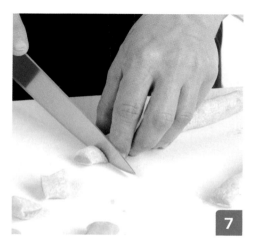

6-7-8-9. Sobre la superficie de trabajo enharinada, forme con la masa cilindros largos, que cortará en trozos. Deslícelos por los dientes de un tenedor para darles la forma rayada. Cuando los ñoquis estén a punto, sumérjalos en agua con sal a punto de ebullición; en cuanto suban a la superficie, recójalos con una espumadera, escúrralos bien y condiméntelos con mantequilla derretida aromatizada con hojas de salvia. Sirva los ñoquis acompañados de parmesano rallado, si lo desea.

- verduritas agridulces -

Ingredientes para 2 tarros de 1/2 kg

1,2 kg de verduras variadas (apio, hinojo,
cebollita, apio nabo, zanahoria, pimiento,
coliflor, calabacín)
140 g de azúcar
150 ml de vinagre de vino blanco
70 ml de aceite de oliva virgen extra
1 clavo
2-3 bayas de enebro
una pizca de canela
1 hoja de laurel
35 g de sal

1-2. Pele las verduras y córtelas en rodajas o
en trozos.

3. Lleve a ebullición el aceite con el vinagre, el
azúcar, las especias y la sal.

4-5. Añada las verduras por orden de cocción
(siga el orden que aparece en los ingredientes).

6. Cueza las verduras hasta que estén blandas
pero sigan estando enteras.

7. Retírelas del fuego y viértalas en un recipiente con el líquido de cocción.

- lasaña vegetariana -

Ingredientes para 4 personas

200 g de placas para lasaña
500 g de bechamel líquida
250 g de ricotta o, en su defecto,
de requesón
40 g de queso gruyer
1 berenjena
2 calabacines
1/2 pimiento rojo
1/2 pimiento amarillo
100 g de tomates cherry
aceite de oliva virgen extra al ajo y romero
albahaca
sal y pimienta

1. Pele las verduras y córtelas en rodajas (sale las berenjenas y déjelas escurrir durante 1 h aprox, tal como se describe en la p. 91); áselas en una plancha rayada de hierro fundido.

2-3. Mezcle la ricotta con la bechamel (para la preparación, véase p. 77) y añada la albahaca.

4. Distribuya una capa de bechamel y ricotta sobre el fondo de una bandeja de hornear y disponga encima la primera capa de pasta. Cubra con otra capa de bechamel y queso.

5-6-7. Corte las verduras en forma de rombo y repártalas sobre la bechamel; corone con queso gruyère rallado y un chorrito de aceite al ajo.

8. Repita la operación y finalice con una capa de pasta.

9-10. Cubra la última capa de pasta con el resto de bechamel y decore con unos tomates cherry cortados por la mitad. Hornee la lasaña a 200 °C durante unos 20 min y decórela con hojas de albahaca fritas, si lo desea.

● Puede sustituir la ricotta por 200 g de queso fresco y de pasta hilada (por ejemplo, mozzarella de búfala). Para preparar el aceite al ajo, ponga en infusión, en una botella, 2-3 dientes de ajo pelados y 2 ramitas de romero en 1/2 l de aceite. Cierre la botella y deje aromatizar el aceite durante una semana.

10

- ensaladilla rusa -

Ingredientes para 4 personas

300 g de zanahorias
500 g de patatas
200 g de guisantes
300 g de mayonesa
sal

1. Lave las zanahorias y las patatas, pélelas y córtelas en dados. Hierva, por separado, en agua con sal, las patatas, los guisantes y las zanahorias; o cuézalos al vapor: serán necesarios de 7 a 10 min para las patatas y de 5 a 7 min para las zanahorias.

2-3. Escurra las verduras y déjelas enfriar. Viértalas después en una ensaladera.

4-5-6. Añada la mayonesa y mezcle bien. Deje reposar la ensaladilla rusa en el frigorífico durante al menos 1 h y sírvala como entremés o guarnición.

● La ensaladilla rusa es ideal como entremés para acompañar embutidos, salmón ahumado o langosta hervida. Pruébela también como relleno de rollitos de jamón de York o tomates frescos, o en los clásicos *vol-au-vents*.

- pastillas de caldo vegetal -

Ingredientes para 1 tarro de 250 g

200 g de apio
2 zanahorias
1 cebolla grande
1 calabacín
1 tomate
100 g de perejil
2-3 hojas de albahaca
1 ramita de romero
2-3 hojas de salvia
½ vaso de agua
50 g de sal gruesa
1 c de aceite de oliva virgen extra

● Varíe los sabores añadiendo durante la cocción un puñado de setas de Burdeos secas o, al finalizar la misma, 50 g de parmesano rallado. La preparación para pastillas de caldo vegetal se puede conservar en el frigorífico durante 1 mes o en el congelador.

1-2-3. Corte las verduras muy finas y póngalas en un cazo de acero con 1 c de aceite; añada las hierbas aromáticas.

4-5. Cubra con la sal, vierta 1/2 vaso de agua y deje cocer durante 30 min, removiendo de vez en cuando para que no se pegue.

6-7-8. Tritúrelo todo y póngalo de nuevo en el fuego hasta que la preparación espese. Viértala aún caliente en tarros de cristal esterilizados y consérvelos en el frigorífico. Cuando vaya a utilizarla, tenga en cuenta que 1 c de esta preparación equivale a una pastilla de caldo vegetal.

- sushi de verduras -

Ingredientes para 4 personas

300 g de arroz de grano pequeño
4-5 hojas de alga nori
4 c de vinagre de arroz japonés
330 ml de agua
2 c de azúcar
1/2 cc de sal
1 zanahoria hervida
1 calabacín hervido
6 judías verdes hervidas
pasta wasabi

1. Lave el arroz y cuézalo tapado, sin tocarlo, en una cantidad de agua con sal equivalente aproximadamente al peso del arroz; aparte, caliente una solución de vinagre, azúcar y sal, sin dejar que hierva, y déjela enfriar antes de utilizarla. Al finalizar la cocción del arroz, condiméntelo con la solución que ha preparado.

● La pasta wasabi se obtiene trabajando el rizoma de la raíz de una planta de origen japonés, el wasabi. El alga nori se vende seca. Antes de usarla, se deben dorar las hojas por el lado brillante.

2. Humedézcase las manos en agua fría y coloque el arroz condimentado sobre el alga nori, extendida sobre una esterilla de bambú, dejando 1 cm aprox de margen en el borde superior.

3. Extienda una capa de pasta wasabi sobre el centro del arroz.

4. Corte las verduras en tiras finas y dispóngalas sobre el wasabi.

5. Enrolle la esterilla, comprimiendo con cuidado, para formar el rollito de arroz. Desenrolle la esterilla con cuidado.

6. Corte el rollito en cilindros pequeños y sírvalo con rodajas de jengibre y salsa de soja.

- recetas de temporada -

Bocaditos de polenta aromatizada con coles de Bruselas

para 4 personas

250 g de harina de maíz

1/2 kg de coles de Bruselas

100 g de queso pecorino

2 anchoas en sal

1 diente de ajo

40 g de mantequilla

aceite de oliva virgen extra

sal y pimienta

Lleve a ebullición 1 l de agua, añada 1 c de sal y 1 c de aceite, y vierta la harina en forma de lluvia, removiendo con un batidor para evitar la formación de grumos. Cueza durante 1 h, sin dejar de remover.

Lave con cuidado las coles de Bruselas, hiérvalas en agua con sal durante 8 min y escúrralas. Mezcle 2/3 de las coles con la polenta y el queso pecorino rallado y ponga esta preparación en un molde de 24 cm de diámetro untado con mantequilla.

Desale las anchoas; deje que se deshagan en una sartén pequeña con la mantequilla y el ajo; retire el ajo y añada las coles que ha reservado.

Desmolde la polenta, córtela en rebanadas, gratínela en el horno durante 5 min y sírvala con las coles de Bruselas en salsa de anchoas.

Preparación 25 min
Cocción 75 min
Vino D.O. Bierzo rosado

Timbal de pasta con col

para 6 personas

350 g de *mezze maniche* o pasta del tipo macarrones

800 g de col rizada

200 g de panceta

120 g de queso provolone o, en su defecto, mozzarella

60 g de mantequilla

4 huevos

3 c de nata fresca

sal y pimienta

Lave y pele la col rizada; reserve las hojas más bonitas y corte el resto en tiras finas.

Lleve a ebullición abundante agua con sal, escalde las hojas enteras de la col durante 3 min, escúrralas y déjelas secar; deseche la parte más dura de la nervadura central. En la misma agua, escalde las tiras de col.

Bata los huevos con la nata y salpimiente. Dore la panceta, previamente cortada en tiras finas, con 40 g de mantequilla, añada las tiras de col y el queso, cortado en dados; rectifique de sal y pimienta y deje cocer durante 2 min.

Hierva la pasta en abundante agua con sal, escúrrala cuando esté al dente y condiméntela con la crema de huevos y nata. Unte un molde de unos 22 cm de diámetro con mantequilla y cúbralo con las hojas de col enteras, dejando que rebosen.

Rellene el molde con la pasta, por capas alternadas con la col con panceta; cubra con las hojas que rebosan y con papel de aluminio; hornee a 200 °C durante 20 min, y después, a 220 °C durante 10 min. Desmolde y sirva.

Preparación 30 min
Cocción 45 min
Vino D.O. Terra Alta garnacha blanca

Lasaña con brócoli

para 6 personas

300 g de harina de repostería

3 huevos

30 g de semillas de sésamo

1 c de aceite de oliva virgen extra

para el relleno

600 g de brócoli

400 g de queso fresco
o requesón

300 ml de nata fresca

40 g de mantequilla

300 ml de caldo vegetal

5 c de parmesano rallado

1 chalota

3 c de aceite de oliva virgen extra

sal y pimienta

Trabaje la harina con los huevos y el aceite hasta obtener una masa homogénea; resérvela. Limpie los brócolis, córtelos en ramitos y hiérvalos en agua con sal hasta que emblandezcan.

Pique la chalota, dórela en aceite de oliva, añada los brócolis y déjelos aromatizar durante 5-10 min. Retírelos del fuego y córtelos muy finos; rectifique de sal y pimienta.

Hierva la nata con el caldo hasta que espese y salpimiente.

Con la ayuda de un rodillo, o una laminadora, extienda la masa fina; al final, antes de la última pasada, espolvoréela con semillas de sésamo tostado. Unte una bandeja de hornear con mantequilla y cubra la base con una capa de la masa.

Reparta los trozos de brócoli, el queso cortado en dados, el parmesano rallado y la nata. Alterne los ingredientes y termine con una capa de masa. Pincele la lasaña con mantequilla derretida, esparza un poco de parmesano y hornéela a 180 °C durante 25 min.

Preparación 70 min
Cocción 55 min
Vino D.O. Rueda verdejo

coles

Strudel de brócoli y patatas

para 4 personas

250 g de masa de hojaldre

300 g de brócoli

250 g de patatas

200 g de queso brie o camembert

1/2 cebolla

50 g de mantequilla

2 c de leche

1 c de semillas de hinojo

sal y pimienta

Limpie el brócoli bajo el grifo y córtelo en ramitos; lave y pele las patatas. Hierva las verduras por separado en agua con sal y escúrralas cuando estén al punto.

Corte las patatas en rodajas y el brócoli en trozos. Deje espesar la cebolla, cortada muy fina, con 30 g de mantequilla. Añada las verduras, las semillas de hinojo y salpimiente; dore durante 2-3 min.

Trabaje el queso con la leche tibia e incorpórelo a las verduras. Reparta la preparación sobre la masa, extendida con el rodillo; enróllela y ciérrela bien por los bordes.

Pincele el strudel con el resto de mantequilla derretida, y póngalo en una bandeja cubierta con papel vegetal; hornéelo a 180 °C durante 30 min.

Preparación 30 min
Cocción 45 min
Vino Valdeorras godello

Tortillas con hojas de nabo

para 4 personas

1/2 kg de hojas de nabo

8 huevos

2 dientes de ajo

aceite de oliva virgen extra

sal

Lave las hojas de nabo bajo el grifo; hiérvalas para que pierdan su sabor amargo y escúrralas cuando estén al punto. Saltéelas en la sartén con una pizca de sal, los dientes de ajo chafados y 2 c de aceite.

Bata los huevos con una pizca de sal y añada las hojas de nabo, cortadas muy finas. Remueva y deje reposar.

Caliente una sartén pequeña antiadherente con aceite y vierta un cucharón de la preparación; cueza a fuego medio durante 5 min. Cuando esté dorada, dé la vuelta a la tortilla y déjela cocer durante 3 min más.

Repita la operación hasta terminar los ingredientes; recuerde untar la sartén para cada tortilla y calentarla antes de verter la preparación con el cucharón. Sirva las tortillas templadas o frías, al natural o en bocadillos.

Preparación 20 min
Cocción 30 min
Vino D.O. Ribeiro treixadura

Puede variar la receta sustituyendo los fusilli largos por espirales de colores. También puede probar con un queso cabrales, de sabor más fuerte e intenso.

Fusilli con gorgonzola e hinojo

para 4 personas

320 g de fusilli largos

250 g de gorgonzola

300 g de hinojo

50 ml de nata para cocinar

3 c de aceite de oliva virgen extra

perejil

sal y pimienta

Corte el hinojo en dados (reserve las hojas verdes) y saltéelo en una sartén con el aceite y una pizca de sal hasta que empiece a dorarse.

Rocíe la verdura con 1/2 vaso de agua y cuézala tapada durante unos 10 min. Salpimiente. Derrita en una cacerola, a fuego lento, el gorgonzola, cortado en trozos, con la nata para cocinar.

Hierva la pasta en agua con sal; escúrrala, pero conserve un poco del agua de la cocción; viértala en la sartén con los hinojos.

Añada la crema de gorgonzola, perejil picado y las hojas verdes del hinojo, previamente troceadas. Remueva muy bien y sirva.

Preparación 15 min
Cocción 20 min
Vino D.O. Rías Baixas albariño

Ñoquis verdes con hinojo y aceitunas

para 4 personas

1 kg de patatas

1 huevo

150 g de harina de repostería

150 g de fécula

200 g de espinacas hervidas

nuez moscada

sal

para la salsa

2 hinojos, 1 chalota

4 c de aceite de oliva virgen extra

1 ramita de hinojo silvestre

60 g de aceitunas negras

sal y pimienta

Hierva las patatas en agua con sal. Escúrralas, pélelas y páselas por el pasapurés. Añada la harina y la fécula, y sazone con sal y nuez moscada.

Bata el huevo y las espinacas con la batidora eléctrica, y vierta la crema obtenida sobre las patatas. Amase hasta conseguir una masa compacta. Forme unas tiras con la masa, enharínelas y corte pequeños ñoquis. Deslícelos por los dientes de un tenedor para darles su clásica forma rayada.

Pique la chalota y rehóguela en el aceite; incorpore los hinojos, cortados en dados. Sale y cubra con 1 vaso de agua. Cueza tapado durante 20 min; bátalo todo y rectifique de sal y pimienta.

Cueza los ñoquis en agua con sal, escúrralos en cuanto suban a la superficie y saltéelos en la sartén con la salsa. Añada las aceitunas, sin hueso, y el hinojo silvestre.

Preparación 50 min
Cocción 50 min
Vino D.O. Penedès xarel·lo

Risotto con hinojo

para 4 personas

300 g de arroz carnaroli

2 hinojos pequeños

1/2 cebolla

50 g de apio

1/2 vaso de vino blanco

1 l de caldo vegetal

4 c de parmesano

3 c de aceite de oliva virgen extra

30 g de mantequilla

Lave los hinojos y córtelos en dados; reserve las hojas verdes. Corte la cebolla y el apio muy finos, y sofríalos en una cacerola con el aceite de oliva. Añada los hinojos y el arroz. Deje que se dore a fuego fuerte, removiendo.

Riegue con el vino blanco, déjelo evaporar y cubra con el caldo hirviendo. Deje cocer y añada caldo cada vez que este se absorba, sin dejar de remover.

Al finalizar la cocción, retire la cacerola del fuego y añada la mantequilla, el parmesano y la parte verde del hinojo, cortada muy fina. Espolvoree el risotto con pimienta recién molida, si lo desea, y sírvalo.

Preparación 20 min
Cocción 20 min
Vino D.O. Somontano chardonnay

Hinojo en salsa aromática

para 4 personas

3 hinojos (1,2 kg aprox)

70 ml de leche

50 ml de nata fresca

40 g de mantequilla

2 yemas de huevo

1/2 limón

perifollo

mejorana

perejil

sal y pimienta

Limpie los hinojos, córtelos en cuñas finas y cuézalos en una cacerola tapada con 2 cucharones de agua, la mantequilla y una pizca de sal durante unos 20 min.

Bata las yemas con la nata, la leche, el zumo del limón, sal y pimienta, y 2 c de perejil, perifollo y mejorana picados. Escurra los hinojos y colóquelos en el plato de servir. Manténgalos calientes.

Ponga la cacerola de los hinojos de nuevo en el fuego y vierta la salsa aromática; llévela a ebullición con el fuego muy bajo; cuando el jugo empiece a cuajar, apague el fuego. Riegue con este jugo las cuñas de hinojo y sirva.

Preparación 15 min
Cocción 30 min
Vino D.O. Chacolí de Vizcaya

Pollo con pomelo e hinojo

para 4 personas

600 g de pechuga de pollo

1 c de té negro en hojas

1 c de arroz

2 c de azúcar

1 pomelo rosa

1 pomelo amarillo

2 hinojos

1 pepino

1 ramita de estragón

2 c de yogur natural

3 c de aceite de oliva virgen extra

sal

Preparación 50 min
Cocción 45 min
Vino D.O. Navarra rosado

Ponga las pechugas de pollo en un colador, tápelas y cuézalas al vapor durante 25 min en una olla con agua hirviendo con sal; deje entibiar el pollo en el colador.

Cubra con papel de aluminio el fondo y las paredes de un wok o de una sartén grande antiadherente, añada las hojas de té, el azúcar y el arroz, y remueva; tape y caliente a fuego lento.

En cuanto empiece a formarse humo, coloque encima del wok el colador con el pollo. Tape y deje ahumar durante 20 min; después, deje que se enfríe. Limpie los hinojos, lávelos, escúrralos y córtelos en cuñas finas; lave el pepino, pélelo con un pelaverduras y córtelo en rodajas finas.

Pele los pomelos eliminando la parte blanca que recubre su pulpa y exprímalos; vierta el zumo en una fuente. Emulsione con el zumo, el yogur, la mitad de las hojas de estragón, que habrá lavado, secado y picado, el aceite y la sal.

Corte las pechugas de pollo en lonchas finas. Reparta los gajos de pomelo, el pepino y los hinojos en cuatro platos individuales; coloque el pollo en el centro y aromatice con la emulsión de zumo de pomelo y yogur. Decore los platos con las hojas restantes de estragón, bien lavadas y secas, y sirva.

puerros

Cellentani en salsa de puerros y salchicha al azafrán

para 4 personas

320 g de *cellentani*,
o pasta similar

2 puerros medianos

300 g de salchicha fresca

150 ml de nata fresca

2 sobres de azafrán

30 g de mantequilla

2 c de aceite de oliva virgen extra

parmesano rallado

leche

sal y pimienta

Ponga la mantequilla y el aceite de oliva en una sartén y, en cuanto estén calientes, añada los puerros, pelados y cortados en rodajas finas. Déjelos dorar ligeramente a fuego lento; bátalos después con la leche suficiente para obtener una crema bastante densa, que reservará.

En la misma sartén de los puerros, desmenuce la salchicha y dórela bien a fuego lento; espolvoréela con un poco de pimienta. Agregue la crema de puerros y dilúyala con la nata. Deje hervir un poco, mientras remueve con cuidado, e incorpore los sobres de azafrán; rectifique de sal.

Hierva la pasta en abundante agua con sal, escúrrala cuando esté al dente y saltéela brevemente en la sartén con la salsa. Sírvala con parmesano rallado.

Preparación 20 min
Cocción 15 min
Vino D.O. Rioja crianza clásico

Albóndigas de cerdo y puerros

para 4 personas

1/2 kg de carne picada de cerdo

2 puerros

2 huevos

100 ml de vino blanco

2 c de almidón de maíz

1 c de vinagre de vino blanco

1 c de salsa de soja

aceite de oliva virgen extra

perejil

sal y pimienta

Limpie los puerros, corte uno muy fino y mézclelo en un cuenco con la carne, los huevos, el vinagre, la salsa de soja, 1 c de almidón de maíz diluido en un poco de agua, sal y pimienta.

Trabaje los ingredientes con las manos húmedas y forme albóndigas del tamaño de una nuez.

Corte el puerro restante en tiras finas y sofríalo en la sartén con 4 c de aceite de oliva virgen extra.

Dore las albóndigas en el sofrito durante 3-4 min por cada lado, riegue con el vino blanco y deje cocer tapado durante 10-15 min.

Añada en la sartén el resto de almidón, diluido en un poco de agua, y deje espesar durante 2-3 min a fuego medio; condimente con perejil picado y sirva.

Preparación 30 min
Cocción 30 min
Vino D.O. Montsant tinto crianza

Corvallo en salsa de puerros

para 4 personas

4 rodajas de corvallo

100 g de harina de repostería

2 puerros

40 g de mantequilla

perejil

sal

Limpie los puerros; para ello, deseche las hojas externas y la parte verde. Lávelos, séquelos y córtelos en rodajas. Lave las rodajas de corvallo, séquelas, sazónelas con sal y enharínelas.

En una sartén, derrita la mantequilla y rehogue los puerros; sálelos. Añada las rodajas de corvallo y dórelas durante unos pocos minutos por ambos lados.

Sirva las rodajas de corvallo calientes, acompañadas de la salsa de puerros y perejil picado.

Preparación 20 min
Cocción 10 min
Vino D.O. Valdeorras godello

Crêpes de achicoria y gorgonzola

para 6 personas

1 kg de achicoria

200 g de gorgonzola

100 g de crema de leche

150 g de mantequilla

120 g de parmesano rallado

sal y pimienta

para las crêpes

80 g de harina de repostería

1/2 de leche

1 huevo

50 g de mantequilla

sal

Preparación 60 min
Cocción 25 min
Vino D.O. Bierzo tinto mencía

Tamice la harina en una fuente; añada la sal y la leche en forma de hilo, removiendo con un batidor para evitar que se formen grumos. Bata el huevo y añádalo a la preparación de harina y leche, mezclando bien hasta obtener una pasta lisa y fluida. Tape la fuente con film transparente y deje que repose durante 2 horas.

Derrita la mantequilla y agréguela a la pasta removiendo enérgicamente. Caliente una sartén para crêpes y úntela con un poco de mantequilla; vierta 2 c de pasta al mismo tiempo que mueve la sartén para cubrir el fondo con una capa fina. Deje cocer a fuego medio durante unos 2 min, dé la vuelta a la crêpe y finalice la cocción. Repita la operación hasta acabar la pasta.

Limpie la achicoria, lávela y córtela en trozos gruesos. Caliente 50 g de mantequilla en una sartén, añada la achicoria, salpimiente, tape y deje rehogar durante unos 10 min. Retire la corteza del gorgonzola y ponga el queso en un cuenco; incorpore la crema de leche y mezcle los ingredientes chafando con un tenedor. Deje entibiar la achicoria y mézclela con la preparación de gorgonzola y 20 g de parmesano rallado.

Reparta la crema de achicoria en cada crêpe; dóblelas en cuatro y colóquelas, ligeramente superpuestas, en una o dos bandejas de hornear. Esparza el parmesano restante, vierta encima el resto de mantequilla, derretida y hornee las crêpes durante unos 10 min. Sírvalas bien calientes.

Risotto con achicoria

para 4 personas

250 g de arroz arborio o carnaroli

1 achicoria

300 g de cebolla

120 g de jamón serrano

60 g de mantequilla

2 c de parmesano

1 l de caldo vegetal

1/2 vaso de vino blanco

aceite de oliva virgen extra

sal

Limpie la achicoria y deseche la parte central externa leñosa de la raíz; lávela, escúrrala y corte las hojas y raíces en tiras finas.

Pele la cebolla y córtela muy fina con el jamón; rehóguelos en aceite a fuego lento; añada después casi toda la achicoria. Suba el fuego y vierta el arroz; dórelo durante 2 min, sin dejar de remover.

Riegue con el vino blanco y déjelo evaporar; vierta poco a poco el caldo y cueza, sin dejar de remover. Cinco minutos antes de apagar el fuego, agregue el resto de achicoria y sazone con sal. Una vez finalizada la cocción, distribuya en forma de lluvia la mantequilla y el parmesano rallado en el risotto y mézclelo enérgicamente. Sírvalo caliente.

Preparación 15 min
Cocción 30 min
Vino D.O. Ribeiro tinto sousón

Pastel de patatas y achicoria

para 4 personas

1/2 kg de patatas

2 cogollos de achicoria roja

1 puerro

60 g de mantequilla

4 huevos

2 ramitas de tomillo

2 ramitas de mejorana

1 ramita de cebollino

sal y pimienta

Ponga en una olla agua fría con sal y hierva las patatas sin pelar. Mientras tanto, derrita 40 g de mantequilla en una sartén y añada el puerro limpio y cortado muy fino con un cuchillo, la achicoria lavada y cortada en tiras y el cebollino, el tomillo y la mejorana, lavados y troceados. Rehogue a fuego medio y rectifique de sal y pimienta cuando el puerro se ablande.

Escurra las patatas y déjelas entibiar un poco; pélelas y córtelas en rodajas más bien gruesas.

En una fuente, vierta la preparación de achicoria, los huevos batidos y las patatas, y mezcle con cuidado. Ponga la preparación en un molde untado con los 20 g de mantequilla restante y hornee el pastel a 180 °C durante unos 30 min.

Preparación 30 min
Cocción 55 min
Vino D.O. Ribera de Duero roble

Tarta de espinacas

para 6 personas

350 g de harina de repostería

aceite de oliva virgen extra

sal

para el relleno

1 kg de espinacas

3 calabacines

1 puerro

1/2 cebolla blanca

2 huevos

50 g de parmesano rallado

50 g de pan rallado

sal y pimienta

Preparación 40 min
Cocción 50 min
Vino D.O. Alella pansà blanca

Lave las espinacas y limpie el puerro y los calabacines; no los corte. Escáldelos por separado en agua con sal; al finalizar la cocción, corte el puerro y los calabacines en rodajas; escurra las espinacas y córtelas muy finas. En una fuente, mezcle con cuidado las espinacas con el parmesano, el pan rallado, la cebolla, cortada muy fina, los huevos y un chorrito de aceite; rectifique de sal y pimienta.

Aparte, trabaje la harina con una pizca de sal, 2-3 c de aceite y 40 ml de agua hasta obtener una masa lisa y homogénea; añada más agua o harina si es necesario. Envuélvala con film transparente y déjela reposar durante 30 min.

Extienda la masa sobre la superficie de trabajo con un rodillo y córtela en dos porciones, una mayor que la otra. Con la mayor, recubra una bandeja, previamente untada con aceite; vierta en ella las espinacas condimentadas y, encima, los calabacines y los puerros; agregue un chorrito de aceite y cubra la tarta con la porción de masa más pequeña, cerrando bien por los bordes. Pincele la superficie con aceite y pínchela con un tenedor.

Hornee la tarta a 180 °C durante unos 45 min, hasta que esté bien dorada. Sírvala bien caliente.

Rollito de pollo y espinacas

para 4 personas

2 pechugas de pollo

100 g de espinacas

150 g de panceta cortada fina

romero

salvia

1 achicoria espárrago de hojas largas

aceite de oliva virgen extra

sal y pimienta

Aplane las pechugas de pollo presionándolas con un mazo entre dos hojas de papel sulfurizado untado con aceite y salpimiéntelas.

Lave las espinacas, séquelas y extiéndalas en medio de las pechugas de pollo. Enrolle las pechugas y envuélvalas con las lonchas de panceta, espolvoreadas con salvia y romero picados.

Dore bien por todos los lados el rollito en la sartén con un chorrito de aceite; déjelo cocer durante unos 15-20 min, regándolo de vez en cuando con su fondo de cocción y agua tibia, si es necesario.

Mientras, lave y trocee la achicoria espárrago, y cuézala al vapor en un colador durante unos 5 min.

Sirva el rollito cortado en rodajas con la achicoria al vapor aliñada con sal y aceite de oliva virgen extra.

Preparación 40 min
Cocción 20 min
Vino D.O. Campo de Borja tinto

Antes de servir los platos, puede aromatizar la pasta con tallos de cebollino cortados muy finos o, si prefiere un sabor más delicado, unas hojas de tomillo.

Tallarines de maíz con espárragos y panceta

para 4 personas

400 g de tallarines de maíz

250 g de espárragos

120 g de panceta ahumada

100 g de queso de oveja dulce semicurado

30 g de chalota

2 c de aceite de oliva virgen extra

20 g de mantequilla

sal y pimienta

Limpie los espárragos y deseche las partes duras y fibrosas; córtelos en rodajas.

Corte la chalota muy fina, rehóguela en una sartén con el aceite de oliva virgen extra y 2 c de agua; añada los espárragos y déjelo cocer tapado durante 5 min.

Corte la panceta en tiras finas, agréguela a los espárragos y prosiga la cocción durante unos minutos.

Hierva la pasta en agua con sal, escúrrala conservando un poco de agua de la cocción y viértala en el condimento. Incorpore la mantequilla y pimienta molida.

Saltee la pasta durante unos minutos y sírvala con el queso de oveja cortado en lonchas finas.

Preparación 25 min
Cocción 15 min
Vino D.O. Conca de Barberà blanco

Bucatini al azafrán con espárragos

para 4 personas

320 g de *bucatini* o,
en su defecto, espaguetis

25 puntas de espárragos finos

200 ml de nata fresca

2 sobres de azafrán

2 c de aceite de oliva virgen extra

2 dientes de ajo

sal y pimienta

Lleve la nata a ebullición en una sartén pequeña y añada el azafrán; salpimiente y deje cocer a fuego lento durante unos minutos.

En una sartén, caliente el aceite y aromatícelo con los dientes de ajo, sin pelar y chafados. Agregue las puntas de espárrago, lavadas y cortadas por la mitad, y saltéelas hasta que estén tiernas pero crujientes. Deseche el ajo, retire los espárragos de la sartén y resérvelos en caliente.

Hierva la pasta en agua con sal y escúrrala cuando esté al dente; finalice la cocción salteándola en la sartén en la que ha cocinado las verduras e incorpore la salsa de azafrán.

Añada, por último, las puntas de espárrago y mézclelo todo bien. Emplate y sirva muy caliente; puede aromatizar los platos con pimienta molida, si lo desea.

Preparación 20 min
Cocción 15 min
Vino D.O. Alicante malvasía

Rollito de lomo de cerdo con espárragos

para 4 personas

4 lomos de cerdo
(200 g cada uno)

16 espárragos

2 dientes de ajo

4 ramitas de romero

1 vaso de vino blanco

6 c de aceite de oliva virgen extra

sal y pimienta

Deseche la grasa que puedan contener los lomos de cerdo y realice un corte en cada lomo, de extremo a extremo, con cuidado. Abra la carne y aplánela con un mazo entre dos hojas de film transparente húmedo.

Deseche la parte dura del tallo de los espárragos, hiérvalos y córtelos por la mitad a lo largo. Sazone la carne con sal, pimienta y romero picado.

Coloque una capa de espárragos sobre la carne y añada una pizca más de sal; enrolle la carne para formar unos rollitos. Átelos bien con hilo bramante y déjelos reposar durante 15 min en el frigorífico.

Caliente un poco de aceite en una sartén antiadherente con 2 dientes de ajo y dore el rollito de carne; riegue con vino blanco y déjelo evaporar.

Hornee el rollito a 180 °C durante 15 min. Córtelo en trozos de 2 cm de grosor. Emplate y aromatice con un chorrito de aceite de oliva virgen extra.

Preparación 30 min
Cocción 35 min
Vino D.O. Empordà rosado pálido

Flan de espárragos con langostinos en salsa de naranja

para 4 personas

250 g de masa filo

70 g de ricotta o, en su defecto, de requesón

300 g de espárragos

3 huevos

60 g de mascarpone

30 g de parmesano rallado

8 langostinos

30 g de mantequilla

perejil

hinojo

1 naranja

aceite de oliva virgen extra

sal y pimienta blanca

Preparación 60 min
Cocción 20 min
Vino D.O. Cava brut nature reserva

Limpie los espárragos y deseche la parte dura del tallo. Derrita la mantequilla en una cacerola y saltee los espárragos hasta que se doren. Una vez fríos, tritúrelos con la batidora.

En un cuenco, ponga el mascarpone, la ricotta, el parmesano rallado, la crema de espárragos y los huevos; salpimiente. Trabaje los ingredientes y páselos por el tamiz.

Recubra unos moldes individuales con tres capas de masa filo pinceladas con aceite; rellene con la preparación de espárragos y hornee a 120 °C durante unos pocos minutos.

Mientras, en una cacerola, vierta el aceite, el zumo de la naranja, una pizca de sal, perejil picado e hinojo; añada los langostinos y cuézalos a fuego muy lento durante unos 5 min. Desmolde los flanes en los platos y coloque encima los langostinos calientes con un poco del jugo de la cocción.

Flan de pan y espárragos

para 4 personas

1 kg de espárragos

120 g de parmesano rallado

200 g de miga de pan fresco

150 ml de leche

4 huevos

200 ml de nata fresca

100 g de mantequilla

pan rallado

nuez moscada

sal y pimienta blanca

Preparación 70 min
Cocción 40 min
Vino D.O. La Mancha airén

Con la ayuda de un cuchillo, corte y deseche la parte dura del tallo de los espárragos y lávelos. Mientras tanto, coloque un colador para cocer al vapor en una cacerola grande. Llene la cacerola con agua hasta llegar al colador y lleve a ebullición.

Coloque los espárragos en el colador y cuézalos tapados durante unos 5 min. Cuando estén al punto, refrésquelos de inmediato bajo el grifo. Reserve algunas puntas de espárrago para decorar y corte el resto en rodajas.

Derrita 20 g de mantequilla en una sartén, añada los espárragos y una pizca de sal, y deje aromatizar durante 3-4 min. Triture los espárragos con la batidora hasta obtener una crema homogénea; agregue los huevos, la miga de pan empapada con leche y escurrida, 100 g de parmesano rallado, una pizca de nuez moscada y pimienta blanca; bátalo todo y vierta en forma de hilo 70 g de mantequilla, derretida al baño María.

Unte con mantequilla 6 moldes individuales lisos para flan; espolvoree el fondo de los moldes con pan rallado y rellénelos con la preparación; cueza los flanes al baño María en el horno a 180 °C durante 25-30 min. Déjelos reposar durante 5 min; desmolde los flanes directamente en los platos y decórelos con las puntas de espárrago que ha reservado. Acompáñelos con una salsa que habrá preparado calentando la nata fresca con 20 g de parmesano rallado.

Espaguetis con alcachofas y limón

para 4 personas

300 g de espaguetis

4 alcachofas

1 chalota

2 limones no tratados

perejil

aceite de oliva virgen extra

sal

Lave las alcachofas y deseche las puntas y las hojas externas. Córtelas en tiras y póngalas en remojo en el zumo de uno de los limones.

Corte la chalota muy fina y rehóguela en un poco de aceite de oliva; añada el zumo del limón y las alcachofas, y cueza durante unos pocos minutos a fuego fuerte. Apague el fuego y reserve.

Corte una parte del segundo limón en rodajas muy finas y el resto en cuñas, sin pelarlo.

Hierva los espaguetis en agua con sal y, cuando estén casi al dente, escúrralos en la sartén con las alcachofas; agregue las rodajas de limón y las cuñas, espolvoree con perejil picado y sirva.

Preparación 20 min
Cocción 15 min
Vino D.O. Rueda

Raviolis de alcachofas

para 4 personas

300 g de harina de repostería

1 c de aceite de oliva virgen extra

1 huevo

para el relleno

6 alcachofas espinosas

150 g de ricotta o requesón

1 huevo, 1/2 limón

90 g de parmesano rallado

1 cebolla, 1 diente de ajo

1 ramita de perejil

1 ramita de mejorana

aceite de oliva virgen extra

60 g de mantequilla

sal y pimienta

Preparación 70 min
Cocción 40 min
Vino V.T. Valles de Sadacia blanco

Vierta la harina sobre la superficie de trabajo, dele forma de volcán y agregue el huevo y el aceite; amase bien y vierta el agua necesaria para obtener una masa lisa y homogénea. Envuélvala en film transparente y déjela reposar durante 30 min.

Limpie las alcachofas; para ello, deseche las hojas externas más duras, las puntas y la pelusa del interior. Córtelas en rodajas finas y sumérjalas en agua con zumo de limón para evitar que ennegrezcan.

En una cacerola, sofría la cebolla cortada muy fina, y el ajo, chafado, con 3 c de aceite de oliva. Deseche el ajo y añada las alcachofas bien escurridas. Rectifique de sal y cueza durante unos 10 min. Una vez tibias, corte las alcachofas muy finas y mézclelas con el huevo, la ricotta, 30 g de parmesano, las hierbas picadas y pimienta molida. Rectifique de sal y mezcle bien.

Extienda la masa bastante fina y distribuya en ella bolitas de relleno a una distancia de 4 cm entre sí. Cierre la masa sobre el relleno y presione alrededor de cada bolita para que salga todo el aire. Corte los raviolis con un cortapasta y cuézalos en abundante agua con sal; aromatícelos con la mantequilla derretida, el resto de parmesano rallado y unas hojas de mejorana, y sírvalos.

Risotto con ternera y alcachofas

para 4 personas

250 g de arroz carnaroli

3 c de aceite de oliva
virgen extra

1 chalota

1,5 l de caldo de carne

150 g de pulpa de ternera

4 alcachofas

1 ramita de perejil

50 g de mantequilla

1/2 limón

2 dientes de ajo

Limpie las alcachofas; para ello, deseche las hojas externas más duras y la pelusa del interior; póngalas en agua con zumo de limón para que no ennegrezcan. Deseche la grasa de la pulpa de ternera y córtela en tiras de unos 3 cm de longitud.

Caliente el aceite en una sartén a fuego medio; añada el arroz y dórelo durante 2 min, sin dejar de remover. Incorpore la chalota cortada muy fina y deje cocer, sin dejar de remover, hasta que la chalota adquiera un ligero color dorado.

Vierta un cucharón de caldo hirviendo y remueva; cuando el arroz haya absorbido casi todo el caldo, vierta otro cucharón y prosiga de este modo hasta el final de la cocción. Cuando hayan transcurrido 5 min, agregue las alcachofas cortadas en tiras finas.

Incorpore la carne al arroz unos minutos antes de finalizar la cocción. Retire la sartén del fuego, distribuya en forma de lluvia la mantequilla y el parmesano rallado en el risotto y remueva enérgicamente; condiméntelo con el perejil y el ajo picados.

Preparación 20 min
Cocción 40 min
Vino D.O. Ribeira Sacra tinto

Alcachofas con brie

para 4 personas

8 alcachofas

5-6 ramitas de tomillo

2 c de aceite de oliva virgen extra

50 ml de nata fresca

100 g de brie

1 yema de huevo

7 c de parmesano rallado

2 c de almendras

sal

Lave las alcachofas, corte el tallo y deseche las hojas externas más duras. Con la ayuda de un cuchillo, vacíe el corazón para que pueda albergar el brie fundido. Hierva las alcachofas durante 10 min en agua con una pizca de sal.

Pique el tomillo. Retire la corteza del brie, corte el queso y póngalo en un cazo con la nata. Deje derretir sin dejar de remover a fuego lento, hasta obtener una crema lisa y homogénea.

Apague el fuego y vierta la yema de huevo a la mezcla; siga removiendo e incorpore 5 c de parmesano rallado, y las almendras y el tomillo, previamente picados.

Rellene las alcachofas con 1 o 2 c de la crema de brie, espolvoréelas con el resto de parmesano, dispóngalas en una bandeja de hornear untada con aceite y gratínelas a 170 °C durante unos 10 min.

Preparación 25 min
Cocción 30 min
Vino Cava brut reserva

Tarta de alcachofas y ajedrea

para 4 personas

250 g de masa quebrada

4 alcachofas

1 diente de ajo

perejil

200 g de ricotta o requesón

2 huevos

4 c de parmesano rallado

ajedrea

3 c de aceite de oliva
virgen extra

sal y pimienta

Caliente el ajo con el aceite y perejil picado; añada las alcachofas, limpias y sin espinas o pelusa y cortadas en rodajas.

Cueza durante 10-15 min a fuego medio, añadiendo agua si
es necesario; salpimiente y retire del fuego.

Agregue la ricotta, el parmesano rallado, los huevos, la ajedrea, sal y pimienta, y remueva.

Recubra con la masa quebrada un molde cubierto con papel sulfurizado y vierta la preparación de verduras; nivele la
superficie. Hornee la tarta a 200 °C durante unos 25 min y
sírvala templada o caliente.

Preparación 20 min
Cocción 35 min
Vino D.O. Ribeiro treixadura

Crema de zanahorias y naranja

para 4 personas

800 g de zanahorias

2 patatas

1 cebolla

1,5 l de caldo vegetal

2 cc de azúcar

aceite de oliva virgen extra

200 ml de zumo de naranja

1/2 vaso de leche

cebollino

sal y pimienta

Lave bien las verduras; corte las zanahorias en rodajas, las patatas en dados y la cebolla muy fina.

Sofríalas en una cacerola a fuego lento con el aceite de oliva. Déjelas reblandecer durante unos minutos y añada el caldo caliente, el azúcar, sal y pimienta.

Tape y deje cocer durante unos 45 min. Retire la cacerola del fuego y deje entibiar. Bátalo todo con el zumo de naranja y la leche.

Caliente la crema y sírvala con picatostes, tiras de corteza de naranja y cebollino picado, si lo desea.

Preparación 20 min
Cocción 50 min
Vino D.O. Lanzarote malvasía seca

Ñoquis de zanahorias con cebollino

para 4 personas

600 g de ricotta o requesón

300 g de zanahorias

150 g de harina de repostería

150 g de queso de oveja rallado

1 l de caldo

6 yemas de huevo

100 g de mantequilla

2 c de cebollino picado

80 g de parmesano rallado

sal

Cueza las zanahorias, cortadas en trozos, en el caldo. Cuando estén frías, páselas por el pasapurés y añada la ricotta, las yemas de huevo, la harina, el queso de oveja rallado y la sal. Mézclelo todo bien.

Con la masa, forme tiras sobre la superficie de trabajo enharinada y córtelas en porciones de masa de 1 cm de longitud más o menos. Cueza los ñoquis en agua con sal.

Para la salsa, derrita la mantequilla y agregue el cebollino. Antes de servir, espolvoree con parmesano rallado.

Preparación 30 min
Cocción 20 min
Vino D.O. Chacolí de Guetaria

Filetes de lenguado a la naranja

para 4 personas

600 g de filetes de lenguado

2 zanahorias

1 tallo de apio

80 ml de vino blanco seco

1 cc de almidón de maíz

2 naranjas

1 ramita de perejil

sal y pimienta

Ponga los filetes de lenguado en una bandeja de hornear, vierta el vino blanco y 2 c de agua, y rectifique de sal y pimienta. Añada las zanahorias y el apio, cortados en rodajas muy finas, y el perejil picado. Hornee a 180 °C durante unos 5 min.

Mientras tanto, exprima las naranjas y conserve el zumo. Saque del horno los filetes de lenguado, retírelos de la bandeja y vierta el fondo de cocción en una cacerola; agregue el almidón de maíz, diluido en el zumo de naranja, y deje espesar en el fuego.

Ponga los filetes de nuevo en la bandeja y vierta por encima la preparación obtenida; hornee durante 7-8 min más. Sirva el lenguado a la naranja bien caliente, decorado con tiras finas de corteza de naranja.

Preparación 25 min
Cocción 15 min
Vino D.O. Rioja blanco joven

Si lo desea, puede variar el relleno de los nabos mezclando su pulpa con arroz, previamente hervido, y cebolla y perejil picados. Esparza pan rallado y unos copos de mantequilla sobre los nabos rellenos y gratínelos en el horno.

Nabos rellenos de frutos secos y queso de cabra

para 6 personas

4 nabos blancos grandes

100 g de queso de cabra curado

2 cebollas pequeñas

30 g de pasas

4 orejones de albaricoque

2 c de piñones

aceite de oliva virgen extra

sal y pimienta

Cueza los nabos durante 10 min al vapor. Corte la parte superior y resérvela. Vacíe los nabos con la ayuda de una cucharilla y reserve la pulpa.

Corte las cebollas muy finas y dórelas en una sartén con un poco de aceite de oliva virgen extra, la pulpa de los nabos, las pasas, los piñones previamente dorados en la sartén y los orejones de albaricoque cortados en dados.

Coloque los nabos vaciados en una bandeja de hornear y rellénelos con la mezcla preparada, añadiendo algunos dados de queso de cabra. Salpimiente los nabos rellenos y hornéelos durante 20 min a 180 °C. Sírvalos bien calientes.

Preparación 30 min
Cocción 30 min
Vino D.O. Vinos de Madrid albillo

Pastelitos de zanahorias

para 6 personas

200 g de zanahorias

2 huevos

160 g de azúcar

1 vaso de aceite de semillas

150 g de harina de repostería

15 g de levadura para repostería

5 g de almendras

1 limón

pan rallado

azúcar glas

mantequilla

sal

Lave las zanahorias, córtelas en trozos y tritúrelas en la batidora. Remoje la pulpa de zanahoria con el zumo del limón y mezcle bien para que se empape de manera homogénea y no ennegrezca.

Monte los huevos con el azúcar hasta obtener una crema homogénea y espumosa; añada el aceite, la harina, la levadura, las almendras picadas, la corteza de 1/2 limón rallado y una pizca de sal. Mezcle bien los ingredientes y agregue las zanahorias.

Vierta la preparación, hasta 2/3 de su capacidad, en moldes individuales para magdalenas, untados con mantequilla y espolvoreados con pan rallado. Hornee los pastelitos a 180 °C durante 20-25 min. Retírelos del horno y déjelos entibiar; desmóldelos y espolvoréelos con azúcar glas antes de servirlos.

Preparación 30 min
Cocción 25 min
Vino Cava brut reserva

Tallarines con gambas y lechuga guisadas

para 4 personas

300 g de tallarines de huevo

250 g de colas de gamba

250 g de cola de rape

250 g de lechuga trocadero

1/2 cebolla dorada

1 ramita de perejil

1 c de brandy

una pizca de nuez moscada

3 c de aceite de oliva virgen extra

sal y pimienta

Pele la cebolla y córtela muy fina; dórela en una sartén con el aceite; añada la lechuga, previamente lavada y cortada en rodajas finas. Sazone con sal, pimienta y nuez moscada; cubra con agua y deje cocer tapado a fuego lento durante unos 10 min. Destape la sartén y deje evaporar el fondo de cocción.

Incorpore la cola de rape, cortada en dados, y las colas de gamba peladas, y riegue con el brandy. Deje aromatizar durante unos minutos y apague el fuego. Remueva con cuidado con una cuchara de madera y condimente con perejil picado.

Hierva los tallarines en abundante agua con sal, escúrralos y saltéelos durante 2 min en la sartén con el condimento para que se aromaticen, y sírvalos enseguida.

Preparación 25 min
Cocción 15 min
Vino D.O. Terra Alta garnacha blanca

Crema de lechuga y cebolleta

para 4 personas

2 cogollos de lechuga

4 cebolletas

600 ml de caldo vegetal

200 ml de nata fresca

50 g de harina de repostería

2 c de parmesano rallado

3 c de aceite de oliva virgen extra

nuez moscada

sal y pimienta

para los picatostes

4 rebanadas de pan de molde

orégano

aceite de oliva virgen extra, sal

Pele las cebolletas y córtelas en rodajas; rehóguelas con el aceite en una cacerola, añada las hojas de lechuga troceadas y la harina. Dore los ingredientes durante unos minutos, añada la nata, la sal y la nuez moscada. Cubra con el caldo vegetal y cueza durante 20 min.

Corte el pan de molde en dados y aromatícelos con aceite de oliva, sal y orégano. Hornéelos a 200 °C hasta que se doren.

Bata la preparación con la batidora hasta obtener una crema; agregue el parmesano y siga batiendo. Rectifique de sal y especias y sirva la crema caliente acompañada de picatostes.

Preparación 20 min
Cocción 30 min
Vino D.O. Ribeiro blanco

Rollitos de escarola

para 4 personas

1/2 kg de escarola

200 g de pan rallado

200 ml de leche

50 g de parmesano rallado

15 g de alcaparras en sal

15 g de anchoas en aceite

aceite de oliva virgen extra

almidón de maíz

sal y pimienta

Deshoje la escarola y escalde las hojas durante 1 min en agua con una pizca de sal. Aclare las alcaparras para quitarles la sal. Tueste en la sartén el pan rallado con una pizca de pimienta molida.

Deje enfriar la escarola, estire las hojas y, superponiéndolas ligeramente, forme 8 cuadrados de unos 20 cm de lado. Debería sobrar una docena de hojas, que cortará muy finas junto con las alcaparras, las anchoas, escurridas del aceite de conserva, y 160 g de pan rallado tostado.

Mézclelo todo bien, reblandezca con aceite, distribuya el relleno sobre las hojas y ciérrelas en forma de rollito; caliéntelas al vapor a fuego lento durante 2 min.

Lleve a ebullición la leche, añada el parmesano rallado y la punta de 1 cc de almidón de maíz diluido en un poco de agua fría. Rectifique de sal y deje hervir a fuego lento durante 1 min. Sirva 2 rollitos por plato con el resto de pan rallado tostado y la salsa de queso vertida en forma de hilo.

Preparación 40 min
Cocción 10 min
Vino D.O. Condado de Huelva zalema

Ensalada de queso feta y frutos del bosque

para 4 personas

100 g de canónigos

100 g de frambuesas

120 g de moras

4 rebanadas de baguette

150 g de queso feta

1/2 melón pequeño

6 c de aceite de oliva virgen extra

2 c de vinagre de vino blanco

1 c de vinagre balsámico

sal y pimienta

Lave y seque las moras y las frambuesas, y distribúyalas en los platos con los canónigos y el melón, previamente cortado en dados.

Corte el queso feta en dados, colóquelo en una bandeja, pincélelo con aceite de oliva y hornéelo bajo el grill durante 5 min. Corte la baguette en rebanadas finas, pincélelas con aceite y tuéstelas bajo el grill.

Emulsione los dos vinagres con 4 c de aceite, sal y pimienta recién molida.

Distribuya el queso caliente sobre la ensalada, alíñela con la vinagreta y sírvala con los picatostes calientes.

Preparación 15 min
Cocción 10 min
Vino D.O. Pla de Bages picapoll

cebollas

Ñoquis con crema de cebolla

para 4 personas

400 g de ñoquis

200 g de salchichas

4 cebollas rojas medianas

100 g de queso mahón rallado

1 guindilla roja

1 c de harina de repostería

1 vaso de vino tinto

aceite de oliva virgen extra

sal y pimienta

Caliente una sartén con 1 c de aceite de oliva y añada las cebollas peladas y cortadas en rodajas finas; sazone con sal. Deje cocer las cebollas en su agua, durante unos 12 min, y agregue agua caliente si tienen tendencia a secarse.

Retire la sartén del fuego; triture la cebolla con la batidora y después tamícela. Vierta el puré obtenido en la sartén, incorpore el vino, rectifique de sal, añada la harina y deje espesar hasta obtener una crema. Complete con pimienta molida.

Hierva la pasta en abundante agua con sal. Mientras, retire la tripa de la salchicha, desmenúcela y mézclela con la guindilla, previamente picada muy fina y machacada con un mazo; sofría la salchicha durante 3 min en una sartén con 1 c de aceite.

Escurra los ñoquis y viértalos en la sartén con la salchicha; añada la crema de cebolla y saltéelos. Vierta un chorrito de aceite de oliva y sirva los ñoquis espolvoreados con el queso rallado.

Preparación 25 min
Cocción 25 min
Vino D.O. Utiel-Requena tinto crianza

Carré de ternera con chalotas

para 4 personas

850 g de carré de ternera deshuesado

8 chalotas

100 ml de vinagre de arroz o, en su defecto, blanco

2 c de salsa de soja

1 c de miel

1 c de azúcar

aceite de oliva virgen extra

2 ramitas de tomillo

caldo de carne

sal y pimienta

Ate el carré de cordero con hilo bramante para que conserve su forma durante la cocción. Prepare una salsa mezclando en una fuente 1 c de salsa de soja, 1 c de caldo hirviendo, la miel, el azúcar y 1 cc rasa de sal. Mezcle bien hasta que se diluyan todos los ingredientes.

Pincele la carne con la salsa que ha preparado y déjela reposar durante 15 min; a continuación, dórela en una sartén antiadherente bien caliente sin añadir condimentos. Ponga la carne asada en una bandeja de hornear y riéguela con la salsa de soja restante y algunas cucharadas de caldo. Hornéela a 200 °C durante 15 min.

Mientras, pele las chalotas y córtelas en rodajas. Sofríalas en la sartén con aceite y añada el tomillo lavado y deshojado, una pizca de sal y el vinagre de arroz. Deje reducir el vinagre a fuego medio y cueza hasta que las chalotas estén transparentes y empiecen a caramelizarse.

Agregue las chalotas a la carne y déjelas en el horno durante 5 min más para que la carne adquiera aroma. Deje reposar el asado durante 5 min antes de servirlo, cortado en filetes.

Preparación 25 min
Cocción 35 min
Vino D.O. Calatayud garnacha tinta

Tarta de cebollas y queso fresco

para 6 personas

1/2 kg de harina de repostería

1/2 kg de cebollas blancas

250 g de queso fresco
o requesón

3 huevos

40 g de parmesano rallado

2 ramitas de mejorana

aceite de oliva virgen extra

sal y pimienta

Trabaje la harina con 300 ml de agua, sal y 50 ml de aceite hasta obtener una masa homogénea. Envuélvala en film transparente y déjela reposar durante 30 min.

Pele las cebollas, córtelas en rodajas muy finas y rehóguelas con un poco de aceite, tapadas, durante unos 30 min. Rectifique de sal y déjelas entibiar; mézclelas después con el queso fresco, el parmesano rallado, la mejorana, la pimienta molida y los huevos.

Extienda la masa fina y recubra con ella una bandeja de 26 cm de diámetro cubierta con papel sulfurizado. Pinche el fondo de la masa con un tenedor y rellénela con la preparación de cebollas y queso.

Doble hacia dentro la masa que sobresale y tire de ella para que quede más fina y que cubra el relleno. Decore la tarta con rodajas de cebolla y hornéela a 180 °C durante 45 min.

Preparación 30 min
Cocción 1 hora 15 min
Vino D.O.C. Priorat garnacha blanca

Mousse de berenjena con yogur

para 4 personas

1/2 kg de berenjenas

1 limón

100 g de yogur

3 dientes de ajo

aceite de oliva virgen extra

perejil

sal

Pinche con un tenedor las berenjenas enteras y hornéelas a 190 °C durante unos 40 min.

Cuando estén tiernas y bien cocidas, retírelas del horno y sumérjalas en agua fría y zumo de limón para que se enfríen.

Pele las berenjenas con la ayuda de un cuchillo de hoja lisa; ponga la pulpa en una batidora con el yogur, el ajo pelado y perejil picado fino. Rectifique de sal y bátalo todo hasta conseguir una crema fina.

Vierta el aceite necesario para obtener una mousse. Sírvala como entremés, sobre pan tostado, pan árabe o pita.

Preparación 25 min
Cocción 30 min
Vino D.O. Penedès tinto joven

Bucatini con berenjenas y atún fresco

para 4 personas

280 g de de *bucatini* o,
en su defecto, espaguetis

250 g de atún fresco
en rodajas gruesas

1 berenjena

100 g de cebolleta

100 g de tomates maduros

3 dientes de ajo

1/2 guindilla roja fresca

2 c de aceite de oliva virgen extra

1 ramita de tomillo

3 hojas de albahaca

sal y pimienta

Pele y pique el ajo; corte en dados el atún, los tomates y la berenjena. Limpie la cebolleta; para ello, deseche las raíces y la parte verde de las hojas; después, córtela en rodajas finas.

En una sartén, vierta el aceite y sofría el ajo, la cebolleta, la berenjena y la guindilla, sin que lleguen a dorarse. Añada los dados de tomate y dore durante 4 min. Retire la sartén del fuego y deseche el ajo. En otra sartén antiadherente, escalde brevemente los dados de atún, de modo que se mantengan rosados en el interior.

Hierva la pasta en abundante agua con sal, escúrrala cuando esté al dente y saltéela con el condimento. Agregue el atún, las hojas de tomillo picadas y la albahaca troceada. Rectifique de sal y pimienta, corone con un chorrito de aceite y sirva enseguida.

Preparación 30 min
Cocción 15 min
Vino V.T. Illes Balears blanco

Fusilli con berenjenas, tomates cherry y ricotta

para 4 personas

350 g de fusilli

300 g de berenjenas

100 g de tomates cherry

40 g de ricotta (o requesón) con sal en lonchas

8 hojas de albahaca

1/2 cebolla

aceite de oliva virgen extra

sal y pimienta blanca

Corte la cebolla muy fina y dórela ligeramente en aceite en una sartén antiadherente; añada las berenjenas (escurridas, como se indica en la p. 91) cortadas en dados y dórelas también durante 10 min.

Agregue los tomates cherry cortados en cuñas y rectifique de sal y pimienta. Deje cocer durante unos minutos.

Mientras tanto, hierva la pasta en abundante agua con sal, escúrrala e incorpórela a la salsa.

Complete el plato con las lonchas de ricotta con sal y con la albahaca, previamente picada y mezclada con 4 c de aceite de oliva virgen extra.

Preparación 20 min
Cocción 15 min
Vino D.O. Rueda sauvignon blanc

Bocaditos de ternera con berenjenas y tomates

para 4 personas

800 g de carne magra de ternera

2 berenjenas medianas

250 g de tomates alargados

3 chalotas

2 zanahorias

1 vaso de vino blanco

aceite de oliva virgen extra

caldo vegetal

perejil

sal y pimienta

Dore la carne en una cacerola con aceite. Añada las chalotas y las zanahorias cortadas on rodajas y mézclelas con la carne. Deje cocer durante 10 min y riegue con 1 vaso de vino blanco.

Salpimiente y prosiga la cocción de la carne durante 30 min; vaya añadiendo caldo para que el fondo no se seque demasiado.

Mientras tanto, corte las berenjenas en trozos pequeños y los tomates por la mitad; agregue después las hortalizas a la carne.

Deje cocer durante unos 25 min más, hasta que las hortalizas estén bien cocidas pero no deshechas. Al finalizar la cocción, añada perejil picado y una pizca de sal, y sirva.

Preparación 15 min
Cocción 65 min
Vino D.O. Cigales tempranillo

Bucatini con pimiento, atún, aceitunas y alcaparras

para 4 personas

400 g de de *bucatini* o,
en su defecto, espaguetis

1 pimiento rojo

150 g de tomates

100 g de atún en aceite

3 filetes de anchoa

1 cc de alcaparras

100 g de aceitunas negras
sin hueso

1 diente de ajo

aceite de oliva virgen extra

sal

Escalde el pimiento, pélelo y córtelo en tiras finas. Escalde los tomates, pélelos y retíreles las semillas.

En una sartén antiadherente, aromatice el pimiento con el aceite y el diente de ajo; añada los tomates y, justo después, las aceitunas troceadas.

Aparte, triture con la batidora el atún, las anchoas y las alcaparras; vierta la mezcla en la sartén con el resto de la salsa. Tape y cueza a fuego medio.

Hierva la pasta en abundante agua con sal, escúrrala cuando esté al dente y añádala a la salsa; saltéela durante unos segundos. Sírvala bien caliente.

Preparación 20 min
Cocción 20 min
Vino D.O. Yecla blanco

Macarrones con salchicha y pimientos

para 4 personas

300 g de macarrones

400 g de pulpa de tomate

100 g de chorizo

2 pimientos

1 diente de ajo

4 c de aceite de oliva virgen extra

4 c de queso de oveja

1 ramita de albahaca

perejil

sal

Lave los pimientos, córtelos en cuñas, deseche el pedúnculo y las semillas, y áselos bajo el grill del horno durante 5-10 min, hasta que ennegrezcan; retírelos del horno, deseche la piel y corte la pulpa en dados.

Pele el chorizo y córtelo en rodajas; lave la albahaca y tro-céela; limpie el perejil, lávelo, séquelo con cuidado con una hoja de papel absorbente y píquelo muy fino.

Pele el ajo, póngalo en una cacerola con el aceite y sofríalo; agregue los dados de pimiento y deje aromatizar durante 3-4 min; añada la pulpa de tomate y prosiga la cocción du-rante unos 15 min. Incorpore las rodajas de chorizo, mezcle bien y deje cocer durante 5-6 min más; hacia el final de la cocción, sazone con sal.

Hierva la pasta en abundante agua con sal; escúrrala cuan-do esté al dente, viértala en la cacerola con la salsa, sin el ajo, y remueva para que se aromatice bien. Emplate, es-polvoree con el queso de oveja rallado y perejil, y sirva bien caliente.

Preparación 20 min
Cocción 40 min
Vino D.O. Somontano rosado cabernet sauvignon

Pimientos rellenos de arroz con sofrito

para 4 personas

100 g de arroz

2 pimientos rojos

2 pimientos amarillos

60 g de carne picada de cerdo

60 g de carne picada de buey

1/2 cebolla blanca

1/2 tallo de apio

1/2 zanahoria

125 g de tomates en rama

1 cc de concentrado de tomate

1/2 vaso de vino tinto

300 ml de caldo de carne

aceite de oliva virgen extra

sal y pimienta

Preparación 25 min
Cocción 2 h 30 min
Vino D.O. Jumilla tinto

Corte la cebolla, la zanahoria y el apio muy finos, y sofríalos en un poco de aceite durante 15 min a fuego muy lento. Añada la carne, suba el fuego y deje que se dore. Riegue con la mitad del vino, déjelo evaporar y vierta 1/2 vaso de caldo, el concentrado de tomate y el resto del vino.

Deje reducir el líquido casi por completo; vierta más caldo, rectifique de sal y agregue los tomates pelados, sin semillas y cortados muy finos. Sazone con pimienta y deje cocer hasta que la salsa espese. Agregue más caldo y prosiga de este modo durante 1 h (el sofrito deberá cocer unas 2 h en total). Al final, deje espesar.

Lave los pimientos y corte la parte superior; vacíelos con la ayuda de un cuchillo y deseche las semillas y los filamentos internos. Sazone el interior con una pizca de sal. Hierva el arroz en abundante agua con sal, escúrralo y déjelo enfriar.

Mezcle el arroz con el sofrito, rellene los pimientos con la preparación obtenida y cúbralos con la parte superior. Unte una bandeja de hornear con aceite y coloque en ella los pimientos; rocíelos con un chorrito de aceite de oliva y hornéelos a 180 °C durante unos 30 min.

pimientos

Pimientos con aceitunas

para 6 personas

4 pimientos amarillos pequeños

4 c de aceite de oliva virgen extra

20 aceitunas negras sin hueso

16 alcaparras en sal

4 cc de pan rallado

4 ramitas de albahaca

caldo vegetal

sal

Lave los pimientos, retíreles las semillas y córtelos en tiras no demasiado finas. Lave las alcaparras bajo el grifo.

Cueza los pimientos a fuego lento con el aceite, añada un poco de caldo vegetal y, cuando estén blandos y casi cocidos, incorpore las aceitunas, previamente troceadas.

Deje cocer durante 5 min más, agregue las alcaparras desaladas, sazone con sal, espolvoree con el pan rallado y remueva. Decore con la ramita de albahaca y sirva.

Preparación 10 min
Cocción 25 min
Vino V.T. Cádiz palomino fino

Tortilla de pimientos y tomates

para 4 personas

600 g de pimientos verdes finos

6 huevos

150 g de queso mozzarella

10 tomates cherry

2 dientes de ajo

4 c de aceite de oliva virgen extra

sal y pimienta

Limpie los pimientos, retire la parte superior, córtelos por la mitad a lo largo, deseche las semillas y las partes blancas, lávelos, escúrralos y córtelos en tiras.

Corte los dientes de ajo en rodajas finas y dórelos con la mitad del aceite en una sartén grande; añada los pimientos y dórelos a fuego fuerte. Al cabo de unos minutos, baje el fuego, salpimiente, tape y deje cocer durante 5 min más.

Lave los tomates cherry, córtelos por la mitad, deseche las semillas y agréguelos a los pimientos; cháfelos con una cuchara de madera. Prosiga la cocción manteniendo los pimientos al punto.

Casque los huevos en una fuente, agregue el queso cortado en dados, el resto del aceite, sal y pimienta. Bata con un tenedor y vierta la preparación en la sartén de los pimientos. Deje cuajar la tortilla y dele la vuelta con la ayuda de una tapa. Sirva la tortilla bien caliente y cremosa.

Preparación 30 min
Cocción 20 min
Vino D.O. Penedès xarel·lo

Tomatitos frescos aromatizados

para 4 personas

600 g de tomatitos redondos, pequeños, rojos y maduros

300 g de queso fresco para untar

40 g de aceitunas negras sin hueso

albahaca

tomillo

aceite de oliva virgen extra

sal y pimienta

Lave los tomates, corte la parte superior y vacíelos con la ayuda de un cuchillo.

Lave las hierbas aromáticas y córtelas muy finas junto con las aceitunas; incorpore el picadillo al queso. Añada aceite, mezcle y rectifique de sal.

Ponga la preparación en una manga pastelera con una boquilla lisa y rellene los tomates con cuidado.

Sirva los tomates coronados con la parte superior o decorados con una aceituna negra.

Preparación 15 min
Vino D.O. Terra Alta garnacha blanca

Flan de tomate

para 4 personas

1/2 kg de tomates maduros
(o 400 g de tomates pelados)

1 patata

1 chalota

1/2 zanahoria

1 hoja de laurel

1 diente de ajo

1 ramita de perejil

1 ramita de tomillo

1 ramita de albahaca

4 c de nata para cocinar

2 huevos

aceite de oliva virgen extra

30 g de mantequilla

sal y pimienta ›

Preparación 30 min
Cocción 65 min
Vino D.O. Somontano blanco

Hierva la patata, corte la zanahoria muy fina junto con el perejil y el tomillo, y resérvelos.

Escalde los tomates en agua con sal, escúrralos y retíreles la piel y las semillas; corte la pulpa en trozos pequeños.

Mientras tanto, pique la chalota y el ajo finos, póngalos en una sartén pequeña con aceite y rehóguelos a fuego medio.

Añada los tomates, la zanahoria, una pizca de sal y de pimienta, y deje cocer durante 15-20 min; remueva de vez en cuando. Si es necesario, reduzca el líquido a fuego fuerte: debe obtener una preparación espesa.

Tritúrelo todo con la patata, reducida a puré, y vierta la preparación en una fuente; incorpore la nata, los huevos, una pizca de albahaca troceada, sal y pimienta, y mezcle.

Unte unos moldes individuales de 8 cm de diámetro con mantequilla y vierta en ellos la preparación. Cueza los flanes al baño María a 180 °C durante unos 40 min, desmóldelos y sírvalos calientes.

Pastel de tomate, mozzarella y albahaca

para 4 personas

3 huevos

150 g de harina de repostería

1 sobre de levadura en polvo

125 ml de leche

100 g de gruyer

200 g de mozzarella

2 tomates grandes

6 c de aceite de oliva virgen extra

8 hojas de albahaca

sal y pimienta

Pele los tomates, deseche las semillas, corte la pulpa en dados y déjelos reblandecer en una sartén antiadherente con un poco de aceite de oliva. Salpimiente. Retire lo sartén del fuego y deje que se enfríe.

Corte la mozzarella también en dados, y la albahaca en trozos gruesos; mézclelo después con los tomates.

Bata los huevos en un cuenco y añada la harina y la levadura; vierta poco a poco el resto de aceite y la leche tibia. Rectifique de sal y pimienta.

Añada el gruyer rallado, y, por último, la mozzarella con los tomates y la albahaca.

Mézclelo todo y vierta la preparación en un molde de plum cake de unos 26 cm de largo; hornee el pastel a 180 °C durante 45 min.

Para variar la receta, pruebe de añadir a la preparación guisantes frescos, escaldados brevemente en agua con una pizca de sal: darán sabor y color al pastel.

Preparación 20 min
Cocción 50 min
Vino D.O. Rías Baixas albariño

Fusilli con tomates cherry, almendras y piñones

para 4 personas

320 g de fusilli

200 g de tomates cherry

100 g de panceta ahumada

4 nueces peladas

5-6 almendras peladas

un puñado de piñones

1 cebolla pequeña

30 g de parmesano

30 g de queso de oveja

30 g de mantequilla

aceite de oliva virgen extra

guindilla

sal y pimienta

Corte la panceta en dados y la cebolla muy fina; en una sartén antiadherente, dórelas en un poco de aceite.

Añada las nueces y las almendras troceadas y ligeramente majadas en el mortero.

A media cocción, incorpore los tomates cherry, cortados por la mitad, y cháfelos un poco con un tenedor en la sartén.

Tape la sartén y rehogue un poco los tomates durante unos minutos. Agregue los piñones y sazone con una pizca de sal y guindilla.

Mientras, hierva la pasta en abundante agua con sal; cuando esté al dente, escúrrala y viértala directamente en la sartén; saltéela y remueva.

Añada el parmesano y el queso de oveja rallados y la mantequilla; remueva y espolvoree con pimienta recién molida. Sirva bien caliente.

Preparación 20 min
Cocción 15 min
Vino D.O. Montsant tinto

Rollitos de calabacín y langostinos

para 4 personas

400 g de langostinos

2 calabacines

250 g de tomates cherry

150 g de puerros

30 g de alcaparrones

4 c de aceite de oliva virgen extra

4 ramitas de tomillo limonero

sal y pimienta

Corte los extremos de los calabacines, lávelos y córtelos muy finos a lo largo con la ayuda de un pelazanahorias. Lleve a ebullición abundante agua con una pizca de sal. Hierva los calabacines durante 1 min, escúrralos y déjelos entibiar.

Limpie y pele los langostinos, retíreles la cabeza y dórelos en una sartén con aceite de oliva. Rectifique de sal y pimienta; cuando estén bien cocidos, colóquelos en una bandeja.

Lave los tomates cherry y córtelos por la mitad. Deshoje las ramitas de tomillo limonero. Limpie los puerros, córtelos en rodajas finas y dórelos en la misma sartén en la que ha cocinado los langostinos. Añada los tomates y las hojitas de tomillo limonero, y salpimiente.

Disponga las rodajas de calabacín en una bandeja; coloque un langostino encima de cada rodaja y enróllela.

Emplate los puerros y los tomates cherry; agregue unos alcaparrones y los rollitos de calabacín. Salpimiente, sazone con un chorrito de aceite de oliva y sirva.

Preparación 40 min
Cocción 15 min
Vino Cava rosado brut

Empanada de calabacín con hierbas aromáticas y mozzarella

para 4 personas

250 g de masa quebrada

8 calabacines pequeños

150 g de mozzarella

2 huevos

1 yema de huevo

150 ml de nata fresca

2 c de parmesano rallado

1 ramita de albahaca

1 ramita de mejorana

sal y pimienta

Coloque la masa en un molde rectangular y déjela reposar en el frigorífico durante media hora.

Mientras, lave los calabacines, córteles los extremos, rállelos, sálelos y déjelos reposar durante 10 min para que pierdan el exceso de agua.

Escúrralos y condiméntelos con las hierbas picadas, el parmesano rallado y una pizca de pimienta. Bata los huevos y la yema con la nata, rectifique de sal y pimienta y añada los calabacines. Aparte, corte el queso en lonchas.

Recubra el molde con la masa y rellénela con capas alternadas de calabacín y de queso; termine con una capa de queso. Hornee la empanada a 180 °C durante 45 min y sírvala.

Preparación 20 min
Cocción 45 min
Vino Cava reserva brut nature

Lazos al pesto y calabacín

para 4 personas

320 g de lazos

2 calabacines grandes

6 flores de calabacín

1 cebolla blanca

2 c de parmesano rallado

6 c de aceite de oliva virgen extra

10 g de piñones

1 ramita de albahaca

sal

Lave los calabacines, córtelos en rodajas y deseche los extromos. Corte la cebolla en rodajas finas y rehóguela en una sartén con 1 c de aceite de oliva virgen extra y 2 c de agua. Añada los calabacines, sazone con una pizca de sal y cueza a fuego lento durante 10-15 min.

Abra con cuidado las flores de calabacín teniendo cuidado de no romperlas; deseche el pistilo del interior y córtelas en tiras; agréguelas a los calabacines al final de la cocción. Para el pesto, limpie la albahaca y tritúrela con los piñones, el parmesano y 5 c de aceite de oliva.

Hierva la pasta en abundante agua con sal, escúrrala cuando esté al dente y viértala en los calabacines con unas cucharadas de su agua de cocción. Saltee durante unos minutos. Incorpore el pesto, mezcle bien y sirva.

Preparación 20 min
Cocción 25 min
Vino D.O. Cariñena tinto

calabacines

Tallarines al azafrán en salteado de calabacín

para 4 personas

350 g de tallarines al azafrán

2 calabacines

1 puerro

100 g de jamón serrano

aceite de oliva virgen extra

sal y pimienta

Lave los calabacines, pélelos y córtelos en rodajas; limpie el puerro y córtelo en juliana. Corte el jamón en tiras finas.

Saltee las verduras en la sartén con unas cucharadas de aceite durante unos 10 min. A media cocción, añada el jamón y rectifique de sal.

Mientras tanto, en una cacerola, lleve a ebullición agua con sal e incorpore la pasta. Escurra los tallarines cuando estén al dente y mézclelos con las verduras.

Preparación 10 min
Cocción 10 min
Vino D.O. Rueda verdejo

setas

Conchas con champiñones al vino tinto

para 4 personas

350 g de conchas de pasta

400 g de champiñones

200 g de jamón de York

1/2 cebolla

4 c de pulpa de tomate

1 vaso de vino tinto

2 dientes de ajo

mejorana

salvia

aceite de oliva virgen extra

sal y pimienta

Sofría el ajo entero y la cebolla, cortada muy fina, en una sartén con abundante aceite. Añada los champiñones cortados en rodajas y cuézalos durante unos minutos.

Agregue el vino, el jamón cortado en tiras, la salvia, la mejorana, la pulpa de tomate y pimienta, y deje cocer durante 10 min.

Mientras, hierva la pasta en abundante agua con sal, escúrrala cuando esté al dente, saltéela con los champiñones y sírvala bien caliente.

Preparación 15 min
Cocción 20 min
Vino D.O. Navarra rosado

Risotto con setas de Burdeos y queso fontina

para 4 personas

240 g de arroz carnaroli

3 setas de Burdeos

1 chalota

1 diente de ajo

50 g de mantequilla

60 g de queso fontina o,
en su defecto, emmental

1/2 ramito de rúcula

8 tomates, perejil

1/2 guindilla seca

1 c de aceite de oliva virgen extra

caldo vegetal

vino blanco

sal y pimienta

Preparación 40 min
Cocción 25 min
Vino D.O. Costers del Segre tinto

Corte la chalota muy fina y rehóguela a fuego lento en una cacerola con 2/3 de la mantequilla y añada muy poca agua. Limpie las setas; para ello, deseche el extremo terroso del pie y frótelas con papel absorbente humedecido con agua tibia. Corte los pies en trozos pequeños y agréguelos a la chalota; corte los sombreros en trozos grandes.

Incorpore el arroz y déjelo dorar durante unos 2 min, sin dejar de remover; riegue con un chorrito de vino. Vierta el caldo hirviendo poco a poco; no deje de remover y añada más caldo cuando se absorba.

Caliente una sartén antiadherente con aceite y agregue el ajo chafado y la guindilla sin semillas. Cueza los sombreros de las setas a fuego fuerte, salpimiéntelos y espolvoréelos con una pizca de perejil picado. En cuanto estén dorados, escúrralos en un plato.

En la misma sartén, cueza brevemente los tomates y deje que pierdan parte del agua; rectifique de sal y pimienta. Añada las setas en la sartén y manténgala caliente.

En cuanto el arroz esté al punto, apague el fuego; incorpore mantequilla, junto con la rúcula, lavada, sin tallos y troceada, y el queso rallado, y remueva enérgicamente. Tape y deje reposar durante 2 min. Condimente el risotto con las setas y sírvalo recién hecho.

Timbal de patatas con queso y setas

para 4 personas

4 patatas de carne amarilla, medianas o grandes

250 g de setas silvestres

250 g de mozzarella

1 diente de ajo

3 c de aceite de oliva virgen extra

1 ramita de romero

sal y pimienta

Ponga agua fría con sal en una cacerola y hierva las patatas sin pelar; escúrralas en cuanto estén tiernas en el centro.

Mientras, limpie las setas frotándolas con papel absorbente ligeramente humedecido y deseche las partes terrosas del pie.

Chafe el ajo sin pelar y dórelo en una sartén antiadherente con aceite de oliva y romero.

Añada las setas, cortadas en trozos gruesos, y cuézalas; rectifique de sal y pimienta. Deseche el ajo y el romero e incorpore las patatas, peladas y cortadas en trozos.

Ponga las patatas y las setas en una bandeja de hornear y cúbralas con la mozzarella, cortada en dados o en rodajas. Hornee a 200 °C durante unos 15 min y sirva.

Preparación 15 min
Cocción 45 min
Vino D.O. Tacoronte-Acentejo tinto

Bucatini con patatas y avellanas

para 4 personas

280 g de *bucatini* o,
en su defecto, espaguetis

400 g de patatas

1/2 l de caldo vegetal

60 g de avellanas

3 c de parmesano

1 sobre de azafrán

1 chalota

40 g de mantequilla

4 c de aceite de oliva virgen extra

1 ramita de perifollo

sal y pimienta

Pele las patatas y córtelas en dados. Corte la chalota muy fina y sofríala con la mantequilla, un poco de aceite y 1 c de agua. Añada las patatas, el azafrán y el caldo vegetal, y déjelo cocer tapado durante unos 10 min.

Triture con la batidora una parte de las patatas con el parmesano rallado y agregue al resto de los ingredientes el puré obtenido; rectifique de sal y pimienta.

Hierva la pasta en agua con sal y póngala junto con las patatas; añada las avellanas tostadas y troceadas gruesas, pimienta molida y unas hojas de perifollo. Rocíe con un chorrito de aceite y sirva recién hecho.

Preparación 25 min
Cocción 30 min
Vino D.O. Penedès blanco

Pastel esponjoso con queso fresco

para 4 personas

600 g de patatas tempranas

300 g de queso fresco
o requesón

2 huevos

1 ramita de mejorana

40 g de parmesano rallado

70 g de jamón serrano ahumado

20 g de mantequilla

sal y pimienta

Lave las patatas y hiérvalas en agua con sal durante unos 25 min. Escúrralas y cháfelas con una cuchara de madera, para aplastarlas ligeramente sin romperlas.

Trabaje el queso con una pizca de sal, pimienta molida, el parmesano rallado y unas hojas de mejorana; incorpore los huevos y el jamón serrano ahumado, cortado en tiras, y mezcle bien hasta obtener una preparación homogénea.

Vierta la mezcla en una bandeja recubierta con papel sulfurizado, previamente humedecido y escurrido, coloque encima las patatas, de modo que queden juntas, y corone con copos de mantequilla. Hornee el pastel a 180 °C durante unos 20 min. Sírvalo templado.

Preparación 20 min
Cocción 40 min
Vino D.O. Ribeira Sacra tinto

Hamburguesas rellenas de patatas con jamón serrano

para 4 personas

300 g de patatas

200 g de coliflor

100 g de grelos

200 de queso fontina o,
en su defecto, emmental

100 ml de nata fresca

12 lonchas de jamón serrano

4 huevos

harina de repostería

pan rallado

aceite de oliva virgen extra

sal y pimienta

Lave y pele las verduras; hiérvalas por separado, córtelas en dados y dórelas durante 2-3 min en un poco de aceite de oliva. Salpimiente, añada la nata y 2 huevos, mezcle y cueza durante 2-3 min.

Con la preparación, forme 12 hamburguesas; páselas por harina, por los huevos restantes batidos y por pan rallado; después, fríalas en aceite durante 1 min por lado.

Escúrralas en papel absorbente y sírvalas sobre un lecho de jamón; corone con el queso, cortado en dados.

Preparación 25 min
Cocción 30 min
Vino D.O. Navarra chardonnay

Patatas aromatizadas

para 4 personas

1/2 kg de patatas

300 g de tomates

1 cebolla roja pequeña

1 diente de ajo

1 manojo de hierbas aromáticas
(orégano, albahaca, mejorana,
perejil)

2 c de aceitunas negras sin hueso

1 c de alcaparras

4 filetes de anchoa en aceite

aceite de oliva virgen extra

vinagre de vino blanco

sal y pimienta

Lave los tomates y póngalos en un molde pequeño con el ajo pelado y las hierbas; sazone con aceite, sal y pimienta, y hornee a 200 °C durante unos 15 min.

Hierva las patatas y corte la cebolla en rodajas. Trocee las anchoas muy finas; mezcle bien 3 c de aceite con un chorrito de vinagre y las anchoas.

Pele las patatas, córtelas en trozos pequeños y póngalas en 4 cuencos individuales con los tomates y la cebolla.

Añada las aceitunas, las alcaparras y la vinagreta que ha preparado; espolvoree con hierbas frescas, mezcle bien y sírvalo recién hecho.

Preparación 20 min
Cocción 30 min
Vino D.O. La Mancha airén

Pastel de patatas y almendras

para 4 personas

800 g de patatas

80 g de aceite de oliva
virgen extra

220 g de azúcar

1 limón

1/2 vaina de vainilla

1 sobre de levadura para
repostería

50 g de pasas

4 yemas de huevo

70 g de almendras

5 c de fécula de patatas

1 c de harina de repostería

2 c de ron

sal

Hierva las patatas, pélelas, páselas por el pasapurés y deje entibiar el puré obtenido. Ponga las pasas en remojo y enharínelas.

Bata las yemas con el azúcar, la ralladura del limón, una pizca de sal y las semillas que habrá extraído de la vaina de vainilla. Vierta la mitad del aceite, mientras bate con el batidor, e incorpore el puré y el resto de aceite. Añada la fécula, la levadura, el ron, las pasas y las almendras cortadas en láminas.

Vierta la preparación en un molde recubierto con papel sulfurizado, nivele la superficie del pastel y hornéelo a 180 °C durante 50 min. Sirva el pastel tibio, espolvoreado con azúcar glas, si lo desea.

Preparación 25 min
Cocción 65 min
Vino D.O. Málaga malvasía dulce

Espaguetis a la achicoria y calabaza

para 4 personas

320 g de espaguetis

400 g de calabaza

200 g de achicoria

1 cebolla blanca

40 g de mantequilla

4 c de aceite de oliva virgen extra

50 ml de leche

parmesano rallado

sal y pimienta

Pele la cebolla, córtela muy fina y dórela en la sartén con 2 c de aceite.

Pele la calabaza y córtela en dados; añádala a la cebolla y salpimiente; cueza durante unos 10 min. Riegue con un poco de agua y la leche.

Limpie la achicoria, córtela en trozos regulares y cuézala con 2 c de aceite durante 5 min.

Hierva la pasta en abundante agua con sal, escúrrala y póngala en la sartén de la achicoria; agregue la calabaza cocida y la mantequilla. Saltee la mezcla rápidamente y sirva la pasta bien caliente con parmesano rallado, si lo desea.

Preparación 20 min
Cocción 25 min
Vino D.O. Ribeiro tinto sousón

Crema de calabaza y manzana

para 4 personas

300 g de pulpa de calabaza

3 manzanas

1 cebolla grande

1 vaso de leche

150 g de picadillo de zanahoria, apio y cebolla

1 diente de ajo

1 cc de almidón de maíz

aceite de oliva virgen extra

4 rebanadas de pan de payés

sal y pimienta

Corte la cebolla en rodajas finas y rehóguela en aceite de oliva con el picadillo de verduras y una pizca de sal.

Corte la calabaza en trozos pequeños, y la manzana en rodajas finas, y añádalas a la cebolla. Deje aromatizar, incorpore el ajo y cubra con agua y leche, vertidas en forma de hilo.

Deje cocer hasta que la manzana y la calabaza se reblandezcan; agregue agua si la preparación se seca en exceso. Rectifique de sal y bata hasta obtener una crema lisa y sin grumos.

Agregue el almidón de maíz y deje espesar a fuego medio, sin dejar de remover. Sirva la crema con un chorrito de aceite de oliva y decorada, si lo desea, con brotes de soja o picatostes.

Preparación 30 min
Cocción 30 min
Vino D.O. Navarra moscatel dulce

Macarrones con calabaza, panceta y vinagre balsámico

para 6 personas

450 g de macarrones estriados

450 g de calabaza

90 g de panceta ahumada

40 g de perejil

40 g de romero

1 diente de ajo

1/2 cebolla

vinagre balsámico refinado

parmesano rallado

aceite de oliva virgen extra

sal y pimienta

Corte la calabaza, retire las semillas y corte una parte de la pulpa en dados de 1 cm aprox. Ponga el resto de la calabaza y la cebolla en una sartén con una pizca de sal, cubra con agua y lleve a ebullición. Una vez que estén cocidas las verduras, bátalas hasta obtener una crema.

Corte la panceta en tiras. Pique el romero, el ajo y el perejil por separado.

En una sartén, caliente un chorrito de aceite a fuego medio y dore la panceta. Retírela de la sartén, añada los dados de calabaza y cuézalos durante unos minutos; salpimiente. Agregue el romero y el ajo picados y la panceta dorada.

Hierva la pasta en abundante agua con sal, escúrrala y saltéela con la salsa que ha preparado. Espolvoree los macarrones con parmesano rallado y sírvalos con un chorrito de vinagre balsámico.

Preparación 20 min
Cocción 15 min
Vino D.O. Méntrida garnacha tinta

Pastel de calabaza y parmesano

para 4 personas

400 g de calabaza

3 huevos

3 c de leche

50 g de mantequilla

3 c de parmesano

nuez moscada

sal y pimienta

Corte la calabaza en trozos y cuézala tapada en una sartén con 30 g de mantequilla hasta que se reblandezca (puede comprobar el grado de cocción con la ayuda de un tenedor o una cuchara de madera).

Retire la sartén del fuego y añada a la calabaza el parmesano rallado, los huevos batidos, la nuez moscada, la leche, pimienta y una pizca de sal.

Mézclelo todo bien y vierta la preparación en un molde para pasteles untado con mantequilla; hornee el pastel a 180 °C durante unos 30 min y sírvalo cuando esté aún caliente o, si lo desea, templado.

Preparación 30 min
Cocción 50 min
Vino D.O. Alicante malvasía

Calabaza asada con pistachos

para 4 personas

900 g de calabaza

140 g de panceta

50 g de pistachos sin sal

1 ramita de romero

sal y pimienta

Hornee la calabaza sin pelar durante unos 20 min a temperatura media: deberá estar bien dura. Pélela, deseche las pipas del interior y córtela en rodajas de unos 3 mm. Cuézalas en una plancha rayada de hierro fundido o, si es posible, en una barbacoa durante 8 min por lado, procurando que no ennegrezcan.

Corte la panceta en dados pequeños y dórelos en una sartén antiadherente a fuego fuerte para eliminar la grasa y que quede más crujiente; añada el romero entero para aromatizar.

En la superficie de trabajo y con la ayuda de un cuchillo, corte los pistachos más bien gruesos y resérvelos.

Emplate la calabaza y cúbrala con la panceta crujiente y los pistachos troceados; rectifique de sal y pimienta. Corone, si lo desea, con unas ramitas de tomillo y sirva recién hecho.

Preparación 25 min
Cocción 20 min
Vino D.O.C. Rioja cosechero

Abreviaturas

s	segundo
min	minuto
h	hora
ml	mililitro
cl	centilitro
l	litro
mg	miligramo
g	gramo
kg	kilogramo
c	cucharada sopera
cc	cucharada de café
°C	grado centígrado
aprox	aproximadamente

Todas las recetas de este volumen se han elaborado
y fotografiado en la cocina profesional de la redacción.